CINQ
bonnes
minutes

Jeffrey Brantley, M.D.
Wendy Millstine

CINQ bonnes minutes

en amour

100 exercices
d'attention pour approfondir votre amour et le raviver chaque jour

Traduit par Nicole Lapierre Vincent

BÉLIVEAU
★
éditeur

Montréal, Canada

L'édition originale de cet ouvrage a été publiée sous le titre
FIVE GOOD MINUTES WITH THE ONE YOU LOVE:
100 mindful practices to deepen & renew your love every day
©2007 Jeffrey Brantley et Wendy Millstine
New Harbinger Publications, Inc. (É.-U.)
ISBN 978-1-57224-512-9

Conception de la couverture: Alexandre Béliveau
Réalisation de la couverture: Jean-François Szakacs

Tous droits réservés pour l'édition française
©2008, BÉLIVEAU Éditeur

Dépôt légal: 2e trimestre 2008
Bibliothèque et Archives nationales du Québec
Bibliothèque nationale du Canada

ISBN 978-2-89092-401-7

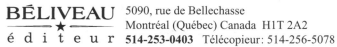

BÉLIVEAU
★
é d i t e u r

5090, rue de Bellechasse
Montréal (Québec) Canada H1T 2A2
514-253-0403 Télécopieur: 514-256-5078

www.beliveauediteur.com
admin@beliveauediteur.com

Gouvernement du Québec — Programme de crédit d'impôt pour l'édition de livres — Gestion SODEC — www.sodec.gouv.qc.ca.

Nous reconnaissons l'aide financière du gouvernement du Canada par l'entremise du Programme d'aide au développement de l'industrie de l'édition pour nos activités d'édition.

IMPRIMÉ AU CANADA

*Ce livre est dédié à tous ceux qui ont embelli
ma vie de leur présence et de leur amour, et
plus particulièrement à ma chère femme, Mary.
Que tes bienfaits se multiplient et profitent à
beaucoup d'autres.*

— J. B.

*Au début, il n'y avait que la vie. Et puis, il y a
eu la vie avec l'amour de ma meilleure amie,
Adrienne Melanie Droogas, dont la loyauté
sincère et l'amour sacré sont sans limites. Elle
est ma plus grande source d'inspiration et
d'enseignement.*

— W. M.

Table des matières

Introduction

Par Jeffrey Brantley, M.D.

Aimeriez-vous essayer une nouvelle démarche en amour?

Et si votre partenaire (ou autre être cher) se joignait à vous?

L'amour est un sujet si complexe, qui a tant de facettes! Tant de choses ont déjà été écrites et dites à ce sujet. À quoi ressemblerait une nouvelle démarche?

Examinez ce qui suit:

« *Je t'aime.* » Ce sont là les mots que tout le monde veut entendre, et ces mots, curieusement, sont tout de même plus faciles à dire dans certains moments que dans d'autres.

De quoi a l'air ce « Je t'aime » « en action »?

Comment ressentez-vous ces mots au plus profond de votre corps, de votre cœur et de votre vie?

« *Je t'aime.* » Ces mots changent de signification et prennent un sens plus étoffé quand les relations ont évolué, quand la conscience a été bâtie sur l'affection, et quand la patience et la générosité envers les êtres chers se sont révélées dans les actions, grandes ou petites.

Avez-vous jamais souhaité connaître plus profondément l'amour? Raviver l'amour plus facilement et plus agréablement? Explorer sous tous les rapports l'univers des relations avec la personne que vous aimez?

« *Je t'aime.* » Dire ces mots à un autre peut vous diriger tous les deux vers quelque chose de grand et de mystérieux: être humain et être en vie. Aimeriez-vous explorer ce mystère plus volontairement chaque jour de votre vie?

Les réponses à ces questions (et à d'autres) sur l'amour dans votre vie pourraient être beaucoup plus à votre portée que vous ne le pensez. Trouver les réponses concernant l'amour, celui qui est vrai pour vous, et retrouver la sagesse pourraient nécessiter seulement que vous prêtiez une attention plus étroite et plus compatissante à vous-même et aux êtres qui vous sont chers dans les moments et les espaces de la vie quotidienne.

Et si tout ce que cela prenait pour augmenter votre capacité d'aimer — et de nourrir et protéger tout ce qui est bon, beau et en santé en vous-même, en ceux que vous aimez et dans le monde — était de commencer par prêter attention, volontairement, d'une manière douce et non critique, maintenant, en ce moment? Dans ce livre, nous parlons de cette façon de prêter attention par l'expression « être attentif ». La conscience qui surgit en prêtant attention de façon douce et non critique est appelée *pleine conscience*.

Dans nos trois autres livres, *Cinq bonnes minutes le matin, Cinq bonnes minutes le soir* et *Cinq bonnes minutes au travail*, nous offrons des exercices faciles, fondés sur la pleine conscience, qui peuvent être faits en cinq minutes « à l'horloge » seulement, et qui ont néanmoins un potentiel de transformation radicale.

La force de ces exercices réside dans l'invitation qu'ils vous adressent non seulement de prendre du recul par rapport à la hâte et aux élans d'affairement, d'inattention, et par rapport à la force de l'habitude (les façons habituelles et souvent inconscientes de penser, de sentir et d'habiter votre corps), mais aussi d'explorer le pouvoir d'être présent (être « attentif »). En partant de ce fondement qu'est la présence au travers de la pleine conscience, vous êtes convié à déterminer une intention claire et, ensuite, à agir sans réserve dans des exercices particuliers, faciles à suivre, organisés autour de thèmes distincts.

Présence, intention et *action sans réserve*: voilà les clés de vos cinq bonnes minutes. Elles sont le véhicule pour transformer ces cinq minutes à l'horloge en quelque chose de radicalement vivant, nouveau et plein de possibilités.

Dans nos autres livres, nous avons centré les exercices sur des thèmes en liaison avec les activités quotidiennes, les soirées et les situations au travail. Nous avons invité les lecteurs à être curieux, à avoir du plaisir, et à explorer les possibilités qui surgissent de l'action consciente, avec intention, dans le moment présent. Les exercices proposés allaient du farfelu au réfléchi, mais aussi jusqu'à l'implication physique.

Dans ce livre-ci, nous vous proposons d'explorer le pouvoir de la présence, de l'intention et de l'action sans réserve au moyen d'exercices de cinq minutes, visant vos relations les plus importantes — c'est-à-dire avec ceux que vous aimez. Vous pourriez inviter votre partenaire et autres êtres chers à partager quelques-uns de ces exercices avec vous. Toute personne peut les faire seule; cependant, un certain nombre d'entre eux sont conçus pour être partagés.

Appliquée aux relations importantes, la démarche des cinq-bonnes-minutes offre, même aux gens les plus occupés, une occasion précieuse d'enrichissement personnel, une façon sage de se relier à leur vie intérieure, et des liens plus forts avec les êtres chers.

Les thèmes organisateurs de ce livre sont les suivants : « Ouvrir votre cœur », qui traite de la croissance de la conscience de soi, de l'affection et de la compassion; « Un amour sage » comporte des exercices qui visent à nourrir, enrichir et protéger la relation; « L'amour en action » s'intéresse aux défis quotidiens et aux difficultés de chaque jour, à l'acquisition des habiletés nécessaires pour entretenir des relations saines; et enfin, « Adorer la vie ».

Le dernier thème, « Adorer la vie », reconnaît que chacun d'entre nous est continuellement en relation avec tout, et que, en observant et en explorant doucement ce plus large contexte de l'amour, la profondeur du sentiment pour une personne en particulier ou pour tout être vivant augmente réellement.

De plus, si être présent, déterminer l'intention et agir sans réserve paraît déroutant ou trop simpliste, ne vous inquiétez pas! Vous recevrez des directives très claires et vous pourrez avancer au rythme qui vous convient. Les découvertes et les enseignements surviendront quand vous ferez activement les exercices.

La démarche des cinq-bonnes-minutes est très efficace parce qu'elle est fondée sur ce que *vous* faites et sur *votre* expérience immédiate.

Les plus grands bénéfices vous viendront du *faire* — de votre expérience immédiate de la pratique de la pleine conscience, de la détermination de l'intention et de l'action sans réserve.

Cela signifie que vous pourrez avoir du plaisir. Il n'est pas nécessaire de faire tous les exercices, au nombre de 100. Et, sans aucun doute, vous n'avez pas à vous préoccuper « d'avoir tout bon ». Vous êtes le responsable! C'est vous qui décidez. Si vous faites l'exercice en fournissant un effort honnête, vous ne pouvez pas vous tromper. Vous n'avez qu'à vraiment *faire* l'exercice, à votre manière et à votre rythme.

Dans la section des « fondements » de ce livre, vous trouverez des directives claires et faciles à suivre pour pratiquer la pleine conscience. Revoyez ces directives aussi souvent que nécessaire. Vous apprendrez (et serez peut-être agréablement surpris de savoir de quoi il retourne) à respirer consciemment, à écouter attentivement et à apporter une pleine conscience à une grande variété de moments et de manières reliés à vos relations. Pendant que vous explorerez ce que signifie être attentif, vous découvrirez en même temps le naturel qui est associé à la présence, et le bien-être que cela procure. Tout le monde peut le faire!

Dans la même section, vous en apprendrez aussi un peu plus sur la détermination de l'intention et sur l'action sans réserve. Soyez curieux et enjoué; laissez-vous combler d'émerveillement au fur et à mesure que vous développez les divers aspects des cinq bonnes minutes.

Les sages ont souvent remarqué ceci dans les étapes de ce mystérieux voyage qu'est l'amour: comment un engagement à aimer quelqu'un vous propulse-t-il d'un centre d'intérêt, qui est de satisfaire vos besoins égoïstes, aux défis du partenariat et de la vie en commun, et ce, pour arriver à se mettre au service de plusieurs, généreusement et de façon engagée. De tels mouvements qui traversent les recoins les plus profonds du cœur humain sont possibles et accessibles à toute personne qui le recherche activement.

Faits cinq minutes à la fois, quelques fois par jour ou par semaine, les exercices de ce livre peuvent vous aider, vous et ceux que vous aimez, à trouver:

- des façons d'ouvrir et de réchauffer votre cœur;

- des expériences aidant à nourrir, protéger et approfondir vos sentiments d'amour;

- des méthodes pour manœuvrer plus habilement dans les difficultés réelles et les tensions de vos relations;

- des occasions de réfléchir à votre place dans la vaste toile de la vie et de communiquer.

PARTIE 1

Les fondements

L'amour ne survient
que dans le moment présent

C inq minutes, ce ne sont que des aiguilles en mouvement sur une horloge. Les exercices et activités proposés dans ce livre vous invitent à approfondir le moment présent, toujours vivant et intemporel.

L'amour, dans sa vaste gamme d'expressions merveilleuses et mystérieuses permettant aux sentiments les plus profonds de votre cœur de se révéler, ne survient que dans le moment présent.

L'amour, dans ses formes sauvages, drôles, énergétiques et truculentes. L'amour, dans ses manifestations légères et désinvoltes, nostalgiques et imaginatives. L'amour, dans ses moments d'intimité, de sollicitude profonde et d'interrelation. L'amour, dans ses actions sages, constamment attentif et compatissant. L'amour, dans ses formes les plus étonnantes, les plus hallucinantes et les plus respectueuses.

Même les souvenirs et les rêves que vous entretenez, les espoirs et les peurs que vous ressentez envers quelqu'un que vous aimez surviennent ici et maintenant (même si les événements eux-mêmes se situent dans le passé ou dans un avenir imaginaire). L'amour (et la vie) s'exprime et se vit toujours et seulement dans le moment présent.

Les relations que vous entretenez avec ceux que vous aimez, surtout avec cette « personne exceptionnelle », se passent aussi et seulement dans le moment présent.

Ces mêmes relations oscillent constamment, comme des marées, entre unité et scission. Le flux et le reflux de l'attachement et de la séparation, avec ses saveurs et ses couleurs intérieures et extérieures bien caractéristiques (joie et excitation, colère et indulgence, satisfaction et déception, et le reste), font généralement des vagues importantes et profondes sur le « maintenant » ininterrompu de votre vie.

Et si vous commenciez à être plus attentif, à observer vos sentiments d'amour et à leur donner plus de liberté et de place dans ce qui afflue en vous? Et si vous commenciez à travailler sur l'afflux des sentiments et des impressions, dans les relations amoureuses les plus importantes pour vous, avec plus de curiosité et de bonté, et moins de peur et de contrôle? Cela vous dirait-il d'aller plus loin et de signifier plus consciemment votre intention d'approfondir et de renouveler l'amour quotidiennement?

Et si de le faire était plus facile que vous ne le pensiez? Et plus amusant?

Vous pourriez même inviter votre partenaire à se joindre à vous.

Pratiquer la pleine conscience peut vous aider, vous, votre conjoint ou toute autre personne aimée. La pleine conscience peut devenir votre alliée si vous reconnaissez le flux et le reflux dans les relations, y compris les impressions et les nuances qui viennent avec ce courant, et si vous y travaillez plus volontiers. Être plus attentif à l'amour qu'il y a en vous et autour de vous peut vous amener à approfondir les sentiments les plus chers et à régénérer vos relations avec les autres.

Et si, en travaillant volontairement et directement sur le sentiment d'amour (ou son absence), tant dans votre vie intérieure qu'extérieure —, ici, dans le moment présent vous pouviez établir un lien plus fort et plus sûr avec les recoins les plus profonds de votre cœur (et, évidemment, avec la personne que vous aimez)?

Et si, en étant plus conscient de l'amour qu'il y a dans les moments ordinaires de votre vie quotidienne, vous habitiez plus intensément tous les moments de votre vie et trouviez une plus grande joie et une plus grande satisfaction, quelle que soit la personne — et en dépit d'elle — qui partage ces moments avec vous?

Pourquoi cinq bonnes minutes avec la personne que vous aimez?

Vous êtes-vous déjà senti comme si vous n'étiez pas réellement présent avec la personne aimée, même si vous étiez là physiquement?

Vous êtes-vous déjà comporté envers la personne aimée d'une façon telle que vous l'avez regretté?

Vous est-il arrivé de vous sentir déconcerté ou désespéré par les sentiments relatifs à votre relation amoureuse?

C'est triste de constater que la hâte et la précipitation des temps modernes nous distraient souvent des gens et des lieux qui nous sont les plus chers et qui nous retiennent à la vie. Les difficultés et les stress que vous devez affronter peuvent perturber votre sens de la compréhension et de l'harmonie, si indispensable dans les relations amoureuses. Une personne peut se sentir fréquemment seule et déconnectée et se demander comment retrouver le sens de l'appartenance et de la communication.

Où pourriez-vous demander de l'aide? Comment les choses pourraient-elles s'arranger?

Même les personnes les plus occupées peuvent commencer à se rebrancher aux sources de la vie et de l'amour qu'offre une relation si elles ont appris à habiter

le moment présent avec une attention sensible et bienveillante. En faisant ces exercices simples, fondés sur la
pleine conscience, pour arrêter, se détendre, se brancher
et maintenir cet état, les élans vers la bousculade et
l'inquiétude deviennent moins irrésistibles. Pourquoi?
Parce qu'il y a quelque chose d'autre de plus précieux, et
parce qu'il y a des bénéfices durables. L'occasion se présente de faire une expérience nouvelle. Une exploration
plus profonde et plus positive des sentiments semble tout
à coup possible, voire plus facile.

La centaine d'exercices de ce livre ont pour but de
vous aider à être plus heureux, plus satisfait, et à devenir
un meilleur partenaire dans toutes vos relations, particulièrement dans celle qui concerne votre plus important
alter ego. Chaque exercice est différent et engageant; il
peut être divertissant, surprenant et même provocateur.

Il n'est pas dit que vous devez vous limiter à cinq
minutes, et que vous ne devez faire qu'un exercice par
jour. Voyez par vous-même ce que vous devriez faire.
Laissez la sagesse vous montrer le chemin.

Pleine conscience, vie intérieure et amour

Les 100 exercices de cet ouvrage sont organisés autour de quatre thèmes centraux. Les voici : « Ouvrir votre cœur », « Un amour sage », « L'amour en action » et « Adorer la vie ».

Chacun de ces thèmes est une porte d'entrée dans l'univers étonnant de l'amour. Les exercices de chaque section sont conçus pour prospecter (votre vie intérieure), vous détendre, rire un peu et, peut-être, gagner en sagesse et en compréhension à l'égard de vous-même et de ceux que vous aimez.

Cela dit, il peut être utile d'en savoir davantage sur chacun des thèmes.

Les exercices sous la rubrique « Ouvrir son cœur » visent à vous rendre apte à faire l'expérience d'un amour de plus grande qualité, celui qui est plus profond, plus tendre et plus stable.

Vous savez probablement à quoi cela ressemble de chasser quelqu'un de son cœur, comment ce geste peut mener à fermer son cœur, à le durcir, ce qui peut mener à des sensations d'isolement et de rupture.

Les exercices de cette première section ont pour but de vous aider à explorer des moyens sages et habiles d'adoucir, de réchauffer et d'ouvrir votre cœur. Dans ces exercices, vous êtes convié à créer un espace intérieur afin de laisser entrer *dans* votre cœur les autres et les expériences de la vie; en le faisant, vous sentirez plus de bien-être et de joie.

Dans la section « Un amour sage », nous vous invitons à examiner la possibilité que l'épanouissement de l'amour véritable dans vos relations soit sans limites. Bien que d'ordinaire il y ait un commencement, un milieu et une fin à toute chose, il se peut que votre capacité d'approfondir et d'intensifier la bienveillance, la tendresse et la joie avec l'être aimé ne connaisse pas réellement de limites.

L'amour sage reconnaît qu'en amour, une taille unique n'habille pas tout le monde. Et quand les gens changent, les relations changent aussi. Cultiver ensemble un espace commun d'affection, de patience et de respect, qui perçoit et accueille le changement, peut faire que l'amour se déploie par des voies insoupçonnées.

Les exercices de cette deuxième section sont centrés sur l'expression aussi positive que profonde de l'amour, en prêtant une attention plus soutenue; sur les marques d'affection, de bonté et de compassion; enfin, sur l'exploration de la patience, de la générosité et du rire ensemble.

Les exercices de la section « L'amour en action » reconnaissent qu'amour et relations amoureuses ne se côtoient pas toujours sans heurts et sans tourments. Qu'est-il possible de faire quand les moments et les situations deviennent douloureux, compliqués, pénibles?

Il arrive souvent que la grandeur de votre cœur se dévoile plus nettement dans des moments d'adversité et de désespoir. Vous pourrez apprendre à voir la différence, lors d'une expérience immédiate, entre des situations qui comportent un certain niveau de tension due à la peur, au dégoût ou à la douleur, et celles où l'ouverture du cœur est caractérisée par le courage et une conscience bienveillante.

Les exercices de cette troisième section vous invitent à explorer le pouvoir de l'attention, de la bonté et de la compassion envers vous-même et envers les autres, quand les sentiments de contrariété et le stress créent dans votre relation des frictions et une division évidente.

Les exercices dans « Adorer la vie » vous donnent l'occasion d'explorer un plus grand territoire en relations amoureuses. Qu'arrive-t-il de vos sentiments de lien et d'affection envers ceux qui ne figurent pas parmi vos relations les plus proches ?

Dans cette quatrième section, vous êtes invité à vous engager dans des exercices qui vous aideront à explorer immédiatement la façon dont l'amour se manifeste dans la toile complexe de toutes les relations qui font partie de votre vie.

Vous en apprendrez davantage sur la façon dont la mystérieuse odyssée de l'amour peut vous faire passer de l'égocentrisme à un éveil aux autres et à un intérêt envers eux, à des sentiments de compréhension et de compassion pour tout ce qui vit.

Les exercices de cette section vous proposent des façons intéressantes et imaginatives d'explorer vos étonnantes liaisons à la grande toile de la vie.

Comment utiliser ce livre

Les 100 exercices contenus dans cet ouvrage vous fournissent des occasions précises d'approfondir l'amour et d'enrichir vos relations; ils sont organisés autour des quatre thèmes dont nous avons parlé précédemment: « Ouvrir son cœur », « Un amour sage », « L'amour en action » et « Adorer la vie ».

Il n'est *pas* nécessaire de faire les 100 exercices pour retirer des bénéfices de ce livre.

Il n'est *pas* nécessaire non plus d'aimer ou de prendre plaisir à tous ces exercices pour en retirer des bénéfices.

Sans aucun doute, il n'est *pas* nécessaire de faire les exercices en suivant un ordre ou une séquence quelconque, y compris de 1 à 100.

Ce qui est utile, c'est d'aborder chaque exercice dans un esprit de détente et de plaisir. Essayez de ne pas vous faire piéger dans le drame ou la lourdeur souvent associés aux relations amoureuses; choisissez plutôt de vous détendre, et adoptez une attitude de curiosité pour l'expérience que vous allez vivre. Acceptez d'être surpris. N'essayez pas de faire en sorte que quelque chose d'extraordinaire arrive et ne tenez pas à obtenir des résultats à tout prix: ces attitudes ne vous serviront pas.

Il est important d'être patient envers vous-même. De notre point de vue, vous ne pouvez pas faire d'erreur en faisant les exercices, dans la mesure où vous consentez à fournir un effort honnête.

Nous vous suggérons de lire tous les exercices et de les faire de la manière qui vous convient. Retenez ceux qui vous attirent. Quand un exercice vous paraît amusant ou qu'il pique votre curiosité, ou qu'il évoque en vous une sensation de soulagement et de bien-être, il pourrait être le bon pour commencer.

Il serait également utile de lire tous les exercices à quelques reprises avant de les faire vraiment. Vous pouvez aussi demander à quelqu'un de vous les lire. Partager la démarche des exercices avec quelqu'un d'autre, votre amoureux par exemple, ou avec un groupe, pourrait s'avérer très satisfaisant.

Avec le temps, vous allez probablement reconnaître, en faisant les exercices, que ceux qui vous attirent sont différents d'un jour à l'autre. Cela signifie qu'il est bon de revenir en arrière et de revoir de temps en temps des exercices différents et inédits. Encore ici, l'esprit d'exploration, la curiosité et le plaisir de la découverte vous mèneront loin.

La pleine conscience :
votre première « bonne » minute

La vie et l'amour se passent et se vivent dans le moment présent, et la richesse qu'ils apportent n'est accessible que si vous êtes présent, ici et maintenant.

Affermir votre attention dans le moment présent forme la première des cinq bonnes minutes. Vous constaterez que plusieurs exercices proposés dans ce livre commencent par « respirez consciemment pendant environ une minute », ou par « écoutez attentivement pendant environ une minute », ou par « prêtez une attention consciente » à une sensation physique particulière pendant environ une minute.

Plus loin dans cette section, vous trouverez des directives faciles à suivre pour la respiration consciente, l'écoute attentive et l'attention aux sensations physiques.

Revoyez ces directives pour pratiquer la pleine conscience aussi souvent que vous le désirez. Consultez-les jusqu'à ce qu'elles deviennent une amie, un refuge. La pleine conscience est vraiment un entraînement. Vous vous « entraînez » non pas à devenir parfait, mais plutôt à apprendre ce que signifie vraiment être conscient, et à avoir confiance en votre capacité d'être vraiment conscient, peu importe à quel point les conditions, à un moment donné, peuvent être stressantes ou exigeantes. Les bénéfices que vous apporteront les exercices de cet ouvrage sont directement dépendants de votre pratique réelle de la pleine conscience; ne vous contentez pas de lire à ce sujet!

Vous voulez peut-être examiner la possibilité d'inclure votre partenaire ou votre amoureux dans votre pratique de la pleine conscience? Les satisfactions à tirer du partage de cet aspect seulement de *Cinq bonnes minutes en amour* qu'est la pleine conscience pourraient vous étonner tous les deux!

Être présent veut dire avoir un sentiment de bien-être et de calme quand vous prêtez attention consciemment. Vous remarquerez probablement que votre esprit et votre corps deviennent naturellement plus calmes et plus apaisés quand vous pratiquez la pleine conscience. Cependant, être conscient ne se limite pas à être calme ou n'exige pas de vous d'être calme. Vous pouvez en réalité être conscient et permettre en même temps à une expérience intense, même affligeante de se produire. Paradoxalement, en apportant une pleine conscience aux perturbations et aux difficultés, vous pourrez constater qu'un plus grand espace intérieur entoure les perturbations. Ainsi, il se peut que vous ne soyez pas calme; néanmoins, vous pourriez vous sentir apaisé même si vous êtes perturbé!

Si tout cela vous semble tiré par les cheveux, ne vous inquiétez pas. Puisque vous *pratiquez* réellement la respiration consciente, l'écoute ou l'attention aux sensations physiques, vous allez faire l'expérience immédiate de la pleine conscience et vous comprendrez son réel pouvoir.

Quand vous pratiquez la pleine conscience, vous êtes en réalité dans la conscience du ici et maintenant, sans juger ou sans essayer de changer quoi que ce soit. En d'autres mots, vous puisez plus consciemment et plus profondément dans le moment présent.

En apprenant à affermir la pleine conscience et à vivre le moment présent plus pleinement, vous apprenez à vous « extirper » des forces de l'habitude et des élans d'affairement qui gênent vos relations les plus importantes. C'est la raison pour laquelle la pratique de la pleine conscience — c'est-à-dire être consciemment présent — est la première « bonne » minute qui vous rend plus disponible pour tout le reste.

Commencer la pratique de la pleine conscience

Il faut de l'habileté et de l'entraînement pour être vraiment présent. Quand vous prêtez attention consciemment, vous n'êtes pas en train d'ajouter ou de retirer quoi que ce soit au moment présent. Être conscient veut dire faire suffisamment d'effort pour être présent mais sans forcer.

Au fur et à mesure que vous vous entraînez à la pleine conscience, vous allez probablement vous sentir de plus en plus détendu. Vous n'avez pas à *faire* quoi que ce soit (sauf apprendre à prêter une attention soutenue et accueillante aux différentes situations et moments). Il n'est pas nécessaire non plus de faire en sorte qu'il se produise quelque chose. Votre attention bienveillante, sensible et sans jugement est tout ce qui est nécessaire.

Il y a plusieurs méthodes pour installer la pleine conscience. Elles impliquent toutes de prêter attention de plein gré d'une façon bienveillante et sans porter de jugement. Vous pouvez prêter attention à la respiration, aux sons ou aux sensations, par exemple, ou vous pouvez vous tenir dans une conscience plus large, plus ouverte et non sélective, qui reçoit ce qui arrive dans le moment présent.

Le contenu de cet ouvrage repose sur trois méthodes de la pratique de la pleine conscience qui sont particulièrement importantes. Elles commencent toutes par le choix d'un sujet donné comme premier centre d'intérêt de votre attention consciente. Ces sujets sont: les sensations respiratoires, les sons et les sensations physiques. Ces méthodes prônent la respiration consciente, l'écoute attentive et l'attention consciente aux sensations physiques. Beaucoup d'exercices commencent par une invitation à utiliser une de ces méthodes de pleine conscience pour votre première bonne minute.

Chacune de ces manières de pratiquer la pleine conscience est extrêmement convaincante; ces méthodes sont utilisées depuis longtemps par ceux qui enseignent et pratiquent la méditation. Avez-vous entendu parler de ces méthodes auparavant, avez-vous lu sur elles ou en avez-vous pratiqué une ou plusieurs? Si c'est le cas — c'est-à-dire que la pleine conscience de la respiration, de l'écoute ou des sensations physiques vous est déjà familière et facile — sentez-vous alors libre de la pratiquer selon la connaissance que vous en avez. Par ailleurs, si cela peut vous aider à raffiner ou à aviver votre capacité d'être conscient, consultez les directives qui suivent aussi souvent que vous en aurez besoin.

Vous vous posez sans doute cette question: quand et pourquoi choisirais-je la respiration consciente plutôt que l'écoute attentive ou l'attention consciente aux sensations physiques?

Vous devez d'abord savoir que, en choisissant un des ces points d'intérêt (ou tout autre sujet spécifique) pour la pleine conscience, vous vous consolidez efficacement dans le moment présent, et vous évitez de vous identifier ou d'être sensible au flot d'exigences que réclament vos pensées, vos sentiments et autres expériences du moment présent. Ainsi, toute méthode pour pratiquer la pleine conscience repose pour le moins — et jusqu'à un certain point — sur l'affermissement de l'attention ici et maintenant. En apprenant à vous servir des sensations de votre respiration ou de votre corps ou des sons que vous entendez autour de vous comme sujets de votre pleine conscience, vous acquerrez des méthodes puissantes et différentes pour vous brancher sur le moment présent.

Par exemple, plusieurs personnes trouvent difficile de centrer leur attention sur la respiration quand leur esprit est très occupé ou qu'il galope. Ou bien, elles peuvent trouver que les sons provenant d'une situation bruyante les distraient de l'attention consciente qu'elles doivent porter à leur respiration ou à leurs sensations physiques.

Ou bien, les sensations physiques elles-mêmes peuvent être pressantes et exiger de l'attention.

Dans de tels moments, l'écoute attentive peut vous aider à accéder à une perception de dimensions intérieures spacieuses, qui peut comprendre tout ce qui survient, y compris les distractions.

Par ailleurs, si vous sentez votre corps disjoint ou coupé de tout, nerveux et agité, et que vous adoptez un point de concentration étroit sur les sensations respiratoires ou sur celles qui se répandent dans votre corps, cela peut être la bonne chose qui vous ramène dans le moment présent, avec un sentiment accru de stabilité et de calme.

En comprenant la façon d'être conscient de chacun de vos états — sensations respiratoires, sons ou sensations physiques — vous vous investissez vous-même du pouvoir de relever plus habilement les défis qui peuvent surgir à essayer d'être conscient, donc plus présent.

Vous verrez qu'en pratiquant ces méthodes de pleine conscience (et d'autres), être conscient est véritablement un art.

Quelquefois, l'art d'être conscient repose sur la sélection des moyens qui conviennent le plus naturellement aux circonstances du moment présent. Par exemple, s'il y a beaucoup de bruit autour de vous, l'écoute attentive peut être le moyen le plus naturel pour commencer la pratique de la pleine conscience. Par ailleurs, si vous êtes engagé dans une activité qui vous procure des sensations physiques fortes, il pourrait être habile de vous centrer sur les sensations qui se répandent dans votre corps.

Dans tous les cas, votre art de pratiquer la pleine conscience est aussi tributaire des attitudes que vous adoptez à chaque moment. Il est important de rester patient envers vous-même, de rester bienveillant et de reconnaître que votre attention va errer. Si cela arrive, ce n'est pas parce que vous avez fait une erreur! Pendant que vous apprenez à pratiquer l'art d'être plus présent et en communication dans différentes situations comportant des quantités variables de distraction et de difficultés, votre maîtrise de cet art se solidifie.

Directives pour respirer consciemment

1. Mettez-vous à l'aise. Vous pouvez vous entraîner à la respiration consciente dans n'importe quelle posture : assis, étendu, debout ou même en marchant.

2. Pour minimiser les distractions, fermez les yeux doucement. Si vous n'êtes pas à l'aise les yeux fermés, laissez-les ouverts à demi et regardez avec douceur un point précis sur un objet quelconque sur le sol, à quelques centimètres de vous.

3. Pour la durée de cet exercice, vous n'avez pas à faire en sorte que quelque chose arrive, ou vous n'avez pas à devenir quelqu'un d'autre que ce que vous êtes déjà. Vous avez tout ce qu'il vous faut pour être conscient. Vous pouvez compter là-dessus.

4. Prêtez attention en douceur à l'endroit de votre corps où il est plus facile de sentir directement les sensations procurées par votre respiration en mouvement. Vous n'avez pas à contrôler votre respiration d'aucune façon, ne faites que prêter attention aux sen-

sations telles qu'elles arrivent. Le bout du nez, la poitrine et l'abdomen se soulevant et s'affaissant sont les endroits courants sur lesquels les gens portent leur attention quand ils s'entraînent à la pleine conscience.

5. Laissez les sensations physiques immédiates du mouvement respiratoire dans votre corps devenir votre objet d'attention. Remarquez ce qui s'élève et ce qui tombe, les entrées et les sorties, le profond et le peu profond, le froid et le chaud, par exemple. Laissez les sensations respiratoires venir à vous. Laissez-les entrer dans votre conscience. Observez les sensations reliées aux inspirations, une pause, aux expirations, une pause un peu plus longue. Remarquez que chaque inspiration a un commencement, un milieu et une fin. Faites de la même façon pour les expirations.

6. Quand votre attention vagabonde ou quand elle est happée par quelque chose, vous n'avez pas fait d'erreur, vous n'avez rien fait de mal. Ne faites que noter ce mouvement de votre attention, reconnaissez-le comme une habitude de votre esprit et laissez doucement les sensations respiratoires revenir dans votre

conscience. Laissez les sensations respiratoires revenir en vous. Votre esprit va probablement s'éloigner des sensations respiratoires un nombre de fois incalculable pendant votre entraînement à la respiration consciente. Ce n'est pas important. Ce qui compte est que vous reconnaissiez le fait et la façon dont vous êtes lié au déplacement de votre attention. Chaque fois, soyez bon, patient et sans jugement envers vous-même; ne faites qu'observer le mouvement et permettre aux sensations respiratoires de revenir en vous.

7. Observez tout sentiment de lutte qui pourrait vous habiter et ayez de la patience et de la compassion envers vous-même et pour cet état d'esprit. Il peut être impossible, à certains moments, de vous centrer sur plus d'une respiration ou sur plus d'une série de respirations sans que l'attention vagabonde. Cela ne doit pas représenter un problème. Ne vous centrez que sur *cette* respiration. Revenez à *cette* respiration. Être attentif et présent à *cette* respiration est suffisant.

8. Terminez votre méditation en changeant de cible, en ouvrant les yeux et en bougeant lentement.

Directives pour l'écoute attentive

1. Mettez-vous à l'aise. Vous pouvez faire de l'écoute attentive dans n'importe quelle posture.

2. Si cela vous aide, laissez vos yeux se fermer doucement.

3. Pour la durée de cet exercice, laissez tomber toutes vos activités; évitez d'essayer de changer quoi que ce soit et de faire en sorte que quelque chose de particulier arrive.

4. Avec douceur, centrez votre attention sur les sons qui vous entourent. Laissez-les venir à vous. Laissez-les entrer dans votre conscience, sans choisir l'un plutôt que l'autre, en accordant à chacun la même attention et le même intérêt.

5. Remarquez et laissez aller toutes les pensées, histoires ou réactions que vous avez concernant ces sons. Centrez-vous sur l'expérience immédiate du son, y compris ses nuances, son volume, ses attributs vibra-

toires, et la distance du son — provient-il de près ou de loin?

6. Permettez à votre attention d'intégrer tous les sons, observant la façon dont ils viennent et s'en vont, dont ils surviennent et se modifient, et la façon dont ils s'évanouissent. Peut-être pouvez-vous commencer aussi à observer les espaces et les silences entre les sons et autour d'eux. Peu importe ce que vous observez, autorisez-vous à vous détendre, à vous adoucir et à vous ouvrir.

7. Laissez la méditation vous soutenir. Laissez les sons venir à vous et partir plutôt que de les chercher ou de vous attacher à l'un plutôt qu'à l'autre. Observez de quelle manière un son qui s'évanouit est remplacé par un autre dans votre conscience. Laissez-vous reposer à l'intérieur de tout sentiment grandissant de paix et recevez là tous les sons.

8. Terminez votre méditation en changeant de cible, en ouvrant les yeux et en bougeant lentement.

Directives pour la pleine conscience des sensations physiques

1. Mettez-vous à l'aise. Vous pouvez pratiquer la pleine conscience des sensations physiques dans n'importe quelle posture.

2. Si cela vous aide à centrer votre attention, laissez vos yeux se fermer doucement.

3. Pour la durée de cet exercice, lâchez prise pour tout ce qui est précipitation, action et tentative pour faire en sorte que des choses se passent. Détendez-vous. Vous avez déjà tout ce qu'il faut pour être pleinement conscient. La capacité de prêter une attention bienveillante dans le moment présent est déjà en vous.

4. Prêtez doucement attention aux courants de sensation dans votre corps. Laissez les sentiments immédiats de lourdeur, de pression ou d'agitation, par exemple, entrer dans votre conscience. Remarquez les sensations de chaleur et de froid, d'humidité et de sécheresse, les contractions et les sensations de

soulagement pendant qu'elles se révèlent dans votre corps.

5. Jouez à lâcher prise pour toutes les pensées ou idées qui surgissent concernant votre corps ou ses parties. Ne vous laissez pas piéger non plus à nommer ces différentes parties. Centrez-vous plutôt sur la découverte des sensations, notant comment elles surviennent, changent et s'évanouissent. Constatez à quel point vous pouvez porter de l'intérêt et une attention sensible au courant des sensations immédiates et changeantes.

6. Laissez votre attention pénétrer profondément chaque sensation tout en la maintenant légère et douce. Notez toute tendance à vous agripper à une sensation ou à essayer de vous débarrasser d'une autre. Laissez partir ces désirs ardents de vous accrocher aux sensations ou de les rejeter, ne considérant ces sensations que comme une activité intime de votre corps.

7. Comme c'est le cas dans tous les autres exercices de pleine conscience, si votre esprit erre, ce n'est pas

parce que vous avez fait une erreur. Notez seulement où il est allé et remettez votre attention sur le flot de sensations physiques.

8. Quand vous êtes prêt à terminer l'exercice, ouvrez les yeux doucement et bougez lentement.

L'intention : le deuxième élément de vos cinq bonnes minutes

Déterminer une intention claire est un moyen de vous diriger vers une valeur importante : un but. Les exercices dans *Cinq bonnes minutes en amour* impliquent tous de déterminer une intention et d'agir selon elle. Beaucoup de ces exercices vous invitent à être très explicite quand il s'agit de dire votre intention (au moins à vous-même), votre deuxième bonne minute.

Déterminer votre intention peut être fait d'une façon habile ou malhabile. Cela étant dit, vous pouvez vous aider à cheminer vers votre but avec une intention habile, et vous pouvez cheminer à votre façon avec une intention malhabile.

Par exemple, il ne serait pas habile de déterminer une intention voulant que vous soyez libéré totalement des soucis perturbants concernant votre amoureux en ne faisant qu'un seul exercice de cinq minutes! Il est important de ne pas déterminer des intentions qui sont irréalistes, ou que vous devrez accomplir à tout prix. Cette sorte d'intention crée un terrain favorisant une autocritique sévère et un manque de confiance en soi en ce qui a trait à votre capacité de faire quoi que ce soit qui peut vous aider vous-même.

Une intention habile ressemble à un guide amical ou à un bon compagnon de voyage, qui vous dirige aux endroits que vous voulez visiter et aux choses que vous voulez voir, et qui vous aide à vous y rendre. Une intention ne se hâte pas, ne critique pas ou n'exige pas; elle reconnaît plutôt que de faire des changements importants peut prendre du temps. Une intention habile est aussi nourrie de patience et de bonté.

Par exemple, vous déterminez une intention qui vise à être plus compréhensif dans votre relation. Une intention habile n'exige pas des résultats instantanés ou spectaculaires, et ne se replie pas quand l'impatience et la frustration se manifestent de nouveau dans la relation. Quand les difficultés apparaissent, l'intention habile d'être plus compréhensif devient tout simplement plus ferme et plus sûre d'y parvenir.

Agir sans réserve : le dernier élément de vos cinq bonnes minutes

Agir sans réserve signifie agir avec toute votre attention et votre énergie. Cela signifie donner le meilleur de vous-même. Si vous avez déjà affermi votre présence avec pleine conscience et que vous avez déterminé une intention claire, alors vous avez en main un atout puissant pour l'action sans réserve.

Quand vous suivez les directives particulières de l'exercice que vous avez choisi — réfléchir sur le pardon, par exemple, ou rire fort avec votre amoureux — agir sans réserve signifie le faire de tout cœur et sans tenir à des résultats. En d'autres mots, faites-le simplement. Ne vous laissez pas piéger par l'envie de surveiller pour voir si quelque chose change pendant l'exercice. Détendez-vous. Ne faites que vous détendre. Puis, voyez où vous en êtes quand vous cessez de vous affoler sur des histoires de contrôle ou d'essayer de faire surgir des résultats. Selon la structure de ce livre, vous pouvez faire votre exercice partout. Vous y apprendrez très probablement quelque chose d'utile, vous découvrirez quelque chose qui mérite votre attention, vous goûterez à quelque chose d'enrichissant ou vous aurez du plaisir quelque part en chemin.

Cela aide de se rappeler qu'il y a une sorte de paradoxe qui joue ici. Reconnaître le paradoxe et travailler avec lui est un autre élément de l'art de s'entraîner aux cinq bonnes minutes.

Le paradoxe est que vous *voulez* absolument que les choses changent, mais plus vous poussez et tirez, plus vous luttez pour les changer et plus vous vous efforcez pour qu'il en soit ainsi, plus vous serez vraisemblablement frustré! C'est vrai dans la méthode des cinq bonnes minutes, mais aussi, très probablement, dans d'autres domaines de votre vie et de vos relations.

Ainsi, en faisant vos exercices, prenez garde aux « pousser-tirer » vigoureux pour atteindre un but ou un résultat particulier. Voyez si, en faisant vos exercices, vous ne pourriez pas voir se produire quelque chose que vous n'aviez *pas* planifié, que vous n'aviez pas *décidé*. Voyez si la vie ne pourrait pas vous surprendre et vous renverser, ou même vous enseigner une chose ou deux. Chaque fois que vous choisissez de faire les exercices des cinq bonnes minutes, une autre occasion vous est fournie de faire l'expérience de l'action sans attendre de résultats.

Apprendre à agir sans réserve peut ouvrir une fenêtre sur les surprises et les découvertes extraordinaires que la vie vous réserve encore et encore. (Cet étonnement et cet enchantement ne peuvent que se répandre dans tous les recoins de votre vie.)

C'est aussi parfaitement correct si vous vous sentez mal à l'aise, déconcerté ou même embarrassé quand vous faites vos exercices sans réserve. Souvenez-vous : vous ne pouvez pas faire d'erreur tant et aussi longtemps que vous donnez le meilleur de vous-même. Ne faites que reconnaître et accepter ce que vous ressentez quand quelque chose se produit — ce qui est un moment de pleine conscience, en passant —, et allez de l'avant.

Ainsi, soyez curieux, patient, bon et clément envers vous-même. Explorez différents exercices et créez en vous de l'espace pour apprendre et pour grandir.

100 nouvelles façons d'aimer

Tout ce que vous faites peut devenir quelque chose de nouveau, de frais et de beau si vous êtes vraiment présent et ouvert aux possibilités et aux merveilles qui sont accessibles, dans le moment présent.

En seulement cinq bonnes minutes, par la pleine conscience et la présence, une intention habile et une action sans réserve, vous pourrez découvrir de nouvelles dimensions passionnantes dans vos relations, même avec les gens qui vous sont les plus familiers et même dans les conditions de vie qui vous sont habituelles.

En tant qu'êtres humains, nous partageons un appétit pour l'amour et la communication; nous avons une capacité innée illimitée d'exprimer, de donner et de recevoir de l'amour.

Que les exercices de ce livre soutiennent votre croissance, votre renouvellement ou, simplement, le plaisir que vous éprouvez à aimer de façon plus profonde et plus généreuse que vous auriez pu l'imaginer.

Que ces 100 démarches pour aimer — renouvelées et rafraîchies par votre bonté, transformant l'attention du moment présent en actions — valorisent la paix, la compréhension et la bonne volonté dans le monde.

PARTIE 2
Les exercices

Ouvrir votre cœur

1

ouvrir la porte à l'amour

Au cœur de votre désir d'être aimé se trouve votre capacité de vous aimer vous-même, d'aimer le bon et le moins bon, et tout ce qu'il y a entre les deux. Prenez ce moment pour laisser l'énergie de l'amour et de la bonté entrer en vous.

1. Faites mentalement ou par écrit une liste de trois traits physiques que vous aimez chez vous, comme votre sourire, vos cheveux, votre ventre.

2. Faites mentalement ou par écrit une liste de trois traits de votre personnalité que vous aimez, comme votre sens de l'humour, votre esprit ou votre intelligence.

3. Puis, faites une dernière liste mentionnant les trois façons selon lesquelles vous réussissez à partager votre amour, comme votre capacité à prendre soin des autres, à bien les écouter, et votre capacité de compassion.

En centrant votre attention sur l'estime que vous vous portez à vous-même, vous permettez aux portes de l'amour de soi de s'ouvrir et à la chaude lumière de la bonté d'illuminer votre vie.

2

le bonheur d'être en vie

ous est-il arrivé de vous sentir désespéré et de ne plus avoir envie de continuer les activités prévues ce jour-là?

Laissez la puissante synergie de la bonté, de la compassion et de la reconnaissance vous régénérer et vous revitaliser.

1. Quand vous remarquez que vous devenez impénétrable ou irritable, arrêtez-vous et admettez-le.

2. Respirez consciemment pendant environ une minute.

3. Déterminez votre intention. Par exemple: « Que je sois libéré de cette crispation et que j'accueille la joie. »

4. Prenez consciemment quelques respirations supplémentaires.

5. Dites à vous-même: « Heureux d'être en vie. » Observez votre vie intérieure. Si vous êtes perturbé, admettez-le gentiment et ajoutez: « Perturbé *et* heureux d'être en vie. »

6. Si vous ressentez de la douleur ou du désespoir, ayez de la compassion envers vous-même. Dites par exemple: « Que je sois libéré de la douleur et de la tristesse. »

7. Répétez plusieurs fois, doucement et sereinement, la déclaration suivante: « Heureux d'être en vie. »

8. Observez toutes les pensées et tous les sentiments qui vous viennent. Reconnaissez-les et acceptez-les.

9. Rappelez-vous vos sources de joie.

3

écrire selon son cœur

Votre vie désespérément accélérée vous laisse très peu de temps pour écrire vos sentiments. Néanmoins, prenez un moment pour vous écrire une lettre d'amour. Ce faisant, vous pouvez diriger votre amour vers l'intérieur. Gardez cette lettre sur vous pour vous rappeler qu'il y a en vous un puits d'amour sans fin envers vous-même. Voici quelques suggestions pour produire ce message d'amour :

- Faites la liste de dix choses que vous aimez chez vous.

- Commencez par « Cher [votre nom] », et imaginez qu'une personne follement amoureuse de vous vous chuchote à l'oreille. Quelles sortes d'expressions romantiques utiliserait-elle?

- Décrivez un geste désintéressé et plein d'affection que vous avez fait pour quelqu'un.

- Écrivez cinq fois ce qui suit: « Je t'aime et je te chéris profondément, chaque jour sans exception. »

- Écrivez trois fois ce qui suit: « Tu es une personne magnifique et radieuse. Ici, il n'y a que de l'amour et de la compassion pour toi. »

Vous pouvez même vous poster cette lettre et l'ouvrir quand vous aurez besoin d'intensifier l'estime que vous vous portez à vous-même.

4

faire place à l'amour

vez-vous déjà remarqué la place énorme que peuvent prendre dans votre vie des émotions négatives comme la colère et le ressentiment? Alors, dominez la haine! Faites place à plus d'amour. Prenez les cinq prochaines minutes pour faire une profonde méditation sur l'amour.

1. Trouvez un endroit vous permettant d'être tranquille et détendu.

2. Posez-vous cette question: «Quelle capacité mon cœur a-t-il d'aimer? Combien d'amour y a-t-il vraiment en lui?»

3. Fermez les yeux et imaginez une lame de fond tour-billonnante de sentiments d'amour s'amplifier en vous. Vous êtes en train de capter en vous une réserve d'affection et de bonté sans cesse grandissante.

4. Soyez attentif à ce que vous ressentez maintenant dans votre corps. Imaginez cet amour foisonnant jaillissant de votre cœur et se répandant rapidement dans tout votre corps. Quelles sensations physiques éprouvez-vous? Sentez-vous de la chaleur à l'inté-rieur? Vous sentez-vous entouré d'une énergie béné-fique?

5. Ouvrez les yeux et rassurez-vous: vous avez une grande capacité d'aimer. Vous avez vraiment un pou-voir intarissable de bienveillance envers vous-même et envers les autres.

5

corps détendu, esprit clair, cœur ouvert

Le stress et la tension dans votre corps, jumelés aux préoccupations et à la précipitation qui habitent votre esprit, peuvent empêcher votre cœur de s'ouvrir.

Essayez l'exercice suivant pour l'autotraitement de votre corps et de votre esprit, et observez ce qui se passe dans la région du cœur.

1. Choisissez un endroit calme et un moment pendant lequel vous ne serez pas dérangé et respirez ou écoutez consciemment pendant environ une minute.

2. Déterminez votre intention. Par exemple: « Que cet exercice m'apporte la sagesse. »

3. Prêtez une attention consciente à votre corps. Imaginez que chaque inspiration vous remplit de bien-être et que chaque expiration expulse hors de vous tension et stress.

4. Après quelques respirations, prenez pleine conscience de toutes les pensées ou anecdotes qui surviennent. Laissez-les faire. Il n'est pas nécessaire de les combattre ni de les nourrir. Laissez-les partir.

5. Après quelques respirations conscientes supplémentaires, prêtez attention à la région du cœur. Que se passe-t-il là, maintenant?

6

cultiver la curiosité

Des études montrent qu'il y a un lien à faire entre curiosité et bien-être. En fait, les personnes qui ont un haut niveau de curiosité disent avoir une plus grande satisfaction dans la vie. Si vous connaissez quelqu'un dont le passe-temps est obsessif, que ce soit du rembourrage ou de la restauration d'automobiles, vous connaissez alors le haut degré de motivation qui anime cette personne devant un nouveau projet à réaliser. Ce que vous ne savez peut-être pas, c'est que la curiosité peut être cultivée, même si vous ne vous sentez pas motivé.

- Commencez par travailler avec ce que vous avez. Déterrez ces vieux trésors enfouis qui avaient l'habitude de vous inspirer, tels qu'un instrument de musique, des projets d'art ou d'artisanat ou votre raquette de tennis. Dans votre emploi du temps, prévoyez un moment pour retrouver le plaisir que vous aviez éprouvé lors de ces activités.

- Quand vous commencez un projet, ne vous concentrez pas sur le dénouement ou le produit final. À la place, prêtez attention au processus. Cette exploration n'est pas un concours ou une course vers la ligne d'arrivée; elle est un moment de découverte de vous-même à vivre pleinement.

- Essayez quelque chose de nouveau! Invitez un ami à participer à l'exercice d'un nouveau centre d'intérêt qui vous paraît intimidant, comme la peinture ou les arts martiaux.

- Faites un pacte avec vous-même selon lequel vous allez vous rendre jusqu'au bout de votre démarche sans vous critiquer.

Développer le sens du merveilleux peut donner plus de valeur à votre vie.

7

harmonie silencieuse

À travers les âges, de grands philosophes de la spiritualité ont encouragé les personnes âgées à se rallier à la paix et à l'amour. Malheureusement, il n'y a pas beaucoup de paix sur notre planète. Prenez ce moment de méditation pour être attentif au fait que cultiver une sérénité intérieure peut générer l'harmonie dans le monde.

1. Tranquillement et assis confortablement, prenez quelques respirations profondes. En inspirant, aspirez le calme et la sérénité que vous désirez. En expirant, laissez sortir l'agitation et la folie du monde.

2. Laissez le tumulte de votre esprit s'apaiser. Laissez vos pensées désordonnées et les distractions quotidiennes se dissiper. Vous êtes en sûreté et libre de laisser vos peurs et vos soucis derrière vous.

3. Imaginez que vous ouvrez une porte dans votre cœur à la paix et à l'harmonie infinies. Soyez attentif au pouvoir de votre paix intérieure, un aimant de tranquillité dans le monde qui vous entoure. Que cela soit ainsi.

8

respirer consciemment

L es tracas, l'affairement, la souffrance et les perturbations sont bien réels. Ils surviennent dans votre vie et peuvent créer des sensations d'isolement et de rupture.

Il est important et utile d'identifier le moment où surviennent ces sensations de rupture, et aussi de reconnaître
que, même si ces énergies intenses proviennent de vous,
elles ne sont pas « vous » !

Une respiration consciente peut vous aider à voir et à
vous rappeler que vous êtes plus que toute cette énergie
envahissante. Elle vous permet de vous reposer dans une
dimension plus stable et plus large.

1. Choisissez un endroit calme et un moment pendant lequel vous ne serez pas dérangé.

2. Respirez consciemment pendant environ une minute.

3. Déterminez votre intention. Par exemple : « Que ma respiration consciente m'apporte paix et sagesse. »

4. Pour la suite de cet exercice, ne faites que vous détendre et respirer consciemment.

5. Souvenez-vous que la respiration consciente n'est pas un exercice de respiration. C'est un exercice de conscience.

6. Pendant que votre souffle respiratoire va et vient en vous, laissez la sensibilité, la bonté et la conscience grandir aussi en vous.

9

libérer votre cœur

Votre passé peut vous hanter et saboter votre capacité à vous sentir sympathique. Les vieilles blessures émotionnelles reliées à des ruptures ou à des traumatismes peuvent être des obstacles à l'ouverture de votre cœur à l'amour. Prendre cinq minutes d'autosoins pour guérir les vieilles blessures vous aidera à donner et à recevoir la sollicitude amoureuse que vous désirez tant.

1. Quand il arrive que ces pertes douloureuses et ces émotions blessantes viennent marteler avec insistance votre esprit, acceptez qu'elles soient un signal: vous devez être bon envers votre cœur.

2. Reconnaissez ces blessures du passé en faisant mentalement ou par écrit une liste de quelques événements douloureux.

3. Relisez la liste et récitez une prière apaisante de pardon pour chaque situation et toutes les situations. Dites à haute voix ou intérieurement: « Par ce rituel de pardon, je me libère des blessures et des injustices du passé. J'asperge mon vieux chagrin de compassion afin de me rendre libre de donner et de recevoir un amour débordant. »

10

reposer dans la beauté

Quand vous vous sentez banni, tenu à l'écart ou seul, le soulagement est plus accessible que vous ne le pensez.

Apprenez à vous rétablir et à vous reconnecter en reposant dans la beauté.

La clé pour vous reconnecter repose sur une attention consciente de la beauté et de la perfection de la vie qui vous entoure.

1. Cessez toute activité et pratiquez la respiration consciente, l'écoute ou le mouvement conscients pendant environ une minute.

2. Déterminez votre intention. Par exemple : « Que cet exercice d'attention à la beauté me revitalise. »

3. Continuez l'exercice de pleine conscience pendant quelques respirations supplémentaires.

4. Regardez autour de vous. Remarquez la beauté. Observez-la dans ses couleurs, ses formes, ses espaces et ses mouvements. Lorsque vous trouvez quelque chose de beau, regardez-le de plus près. Restez là.

5. Écoutez attentivement. Repérez la beauté des sons. Écoutez les airs, les rythmes et le silence.

6. Voyez la beauté autour de vous en utilisant vos autres sens — odorat, goût, toucher.

7. Reposez dans toute cette beauté qui vous entoure.

11

donner de l'amour

L'amour vient à nous quand nous en donnons. En réalité, plus vous donnez d'amour, plus vous en avez à donner. Tout de suite, prenez cinq minutes pour partager votre amour. Faites le maximum, soyez généreux ! Voici quelques suggestions pour vous aider à commencer :

- Prévoyez un plat auquel vous aurez infusé votre amour.

- Écrivez un message d'amour à quelqu'un que vous aimez et recopiez le message à votre intention.

- Téléphonez à quelqu'un qui vous est cher et dites-lui à quel point vous l'aimez. Puis, téléphonez-vous à vous-même et laissez-vous comme message une déclaration d'amour.

- Donnez de l'argent ou des vêtements à un organisme de charité, ou offrez un cadeau ou un don significatif à un ami ou à un étranger.

- Exercez-vous à être généreux et patient avec vos collègues, les clients, le caissier, et avec le conducteur qui a un épisode de rage au volant.

- Soyez aimable avec un étranger en lui offrant un sourire, en lui disant bonjour, en lui souhaitant une bonne journée ou en lui faisant un compliment.

- Quand vous rendez les autres heureux, cela a un effet magique sur vous en vous rendant heureux.

12

ressentir la joie

Une grande joie se trouve dans tous les moments, tous les jours de votre vie.

S'exposer et se relier au bonheur qui baigne déjà votre vie plutôt que d'attendre que quelque chose de palpitant ou de « spécial » arrive peut réchauffer et ouvrir votre cœur immédiatement.

Apprenez à laisser le bonheur des autres vous ouvrir à votre propre bonheur.

1. Quand vous êtes en compagnie d'amis ou d'étrangers, faites une pause et recueillez-vous en respirant consciemment pendant environ une minute.

2. Déterminez votre intention. Par exemple: « Que je perçoive et ressente la joie autour de moi. »

3. Regardez autour de vous. Localisez quelqu'un qui semble heureux. Sans l'interrompre, prêtez attention à sa joie. Laissez-la vous toucher. Laissez-la mettre un sourire sur vos lèvres.

4. Intérieurement, souhaitez-lui simplement un bonheur sans fin. Vous pourriez utiliser silencieusement la phrase suivante: « Que votre joie ne cesse jamais. »

5. Faites une respiration consciente. Demeurez dans cet état de bonheur.

13

ventre mou

Vous pouvez être entouré par tout l'amour que vous pourriez souhaiter, mais quand votre vie est saturée de stress, de frustrations et de fatigue, l'amour peut ne pas être suffisant. Prenez le prochain répit conscient de cinq minutes pour ralentir le pas et vous détendre un moment.

1. Commencez par vous asseoir dans un endroit calme et agréable, si possible.

2. Fermez les yeux et prenez quelques respirations lentes, désignant les foyers de tension et les laissant partir à chaque expiration.

3. Maintenant, concentrez-vous sur l'assouplissement de votre ventre, détendant tous les muscles crispés ou libérant les sentiments d'anxiété. Laissez votre abdomen devenir mou tandis que vous laissez votre ventre se bomber et retomber à chaque respiration.

4. Les soucis et le stress peuvent aller et venir dans votre esprit, mais concentrez votre attention sur la détente de votre abdomen.

Quand l'amour est en deçà de vos attentes, souvenez-vous seulement qu'un ventre mou aide à maintenir un esprit détendu. Et quand vous êtes calme, l'amour et le bonheur peuvent retrouver leur chemin dans votre vie.

14

vos bonnes œuvres

Tout le monde a vécu le sentiment de s'enliser dans un discours autodestructeur et un sentiment d'échec.

La mesquinerie des critiques que vous vous adressez à vous-même peut conduire rapidement à la fermeture et au durcissement de votre cœur.

Voyez comment le souvenir de vos bonnes actions et de vos bonnes œuvres peut vous aider à rouvrir votre cœur.

1. Si vous remarquez que votre cœur est devenu dur, fermé, respirez consciemment pendant environ une minute.

2. Déterminez votre intention. Par exemple : « Que cet exercice réchauffe et attendrisse mon cœur. »

3. Prêtez une attention consciente à votre corps. Laissez-le s'abandonner et se détendre à chaque expiration.

4. Souvenez-vous de quelque chose de bon que vous avez fait pour quelqu'un. Cela pourrait être une faveur, un don, un sacrifice, une suggestion ou une gentillesse.

5. Réfléchissez aux effets de vos bonnes œuvres sur cette personne. Sentez son bonheur dans votre corps et dans votre cœur.

6. Souvenez-vous de la bonté qui est en vous et détendez-vous en elle.

15

des bénédictions sur vous

Y a-t-il quelqu'un dans votre vie que vous avez du mal à aimer? Cette personne est peut-être fermée sur le plan émotif ou de contact difficile. Essayez cette bénédiction. Les résultats, aussi inattendus que merveilleux, pourront vous étonner.

1. Faites une liste mentalement ou par écrit de trois choses que vous n'aimez pas chez cette personne.

2. Puis, faites une liste mentalement ou par écrit de trois choses que vous aimez chez cette personne.

3. Après chaque élément de la liste, dites à haute voix une prière pour bénir cette personne pour tout ce qui est bon et tout ce qui est compliqué chez elle. Il se peut que vous ayez envie de dire son nom à haute voix, suivi de : « Pour toutes les parties de vous qui sont difficiles, je vous bénis. Je vous bénis et vous souhaite que seuls l'amour et la joie remplissent votre cœur. » Continuez avec ces mots : « Pour toutes les parties de vous qui sont bonnes et aimables, je vous bénis. Je vous bénis et vous souhaite un bonheur débordant tous les jours. »

La bénédiction agit mieux si elle est récitée tous les jours, et peut avoir des effets étonnants.

16

régénération silencieuse

L a vie moderne est si chargée de distractions extérieures, d'affairement et d'interruptions qu'il est facile d'oublier une de vos plus puissantes sources de régénération et de vitalité.

Le silence.

Des zones de silence existent au-dessus, en dessous, autour et au-dedans de toutes les sources de sons et de bruits dans votre vie — même celles de votre propre esprit.

Le silence est toujours là, attendant que vous lui prêtiez attention, prêt à vous offrir paix et joie.

1. Trouvez un endroit agréable et respirez consciemment pendant environ une minute.

2. Déterminez votre intention. Par exemple: « Que cet exercice m'apporte tranquillité et bien-être. »

3. Faites quelques respirations conscientes supplémentaires.

4. Dirigez doucement votre attention vers les sons et écoutez-les consciemment. Écoutez tous les sons, leur permettant d'entrer en vous, les laissant aller et venir.

5. Observez de plus près. Notez l'espace avant et après chaque son.

6. Détendez-vous et reposez-vous dans les espaces de silence.

17

le cercle d'amour

Les moments difficiles de votre vie créent des obstacles à votre ouverture à l'amour. La visualisation qui suit vous aidera à créer un cercle rayonnant d'amour qui irradiera aussi bien à l'intérieur qu'à l'extérieur de vous tout au long de la journée.

Imaginez que vous êtes confortablement étendu dans un endroit sûr et tranquille, comme votre chambre à coucher ou une prairie paisible. Vous êtes libéré des soucis et des contraintes, des échéances et des exigences. Vous êtes détendu et calme. Maintenant, visualisez une lumière dorée entourant tout votre corps.

Cette lumière représente tout l'amour du monde. Elle est chaude et apaisante, réconfortante et rassurante. Cette lumière est comme un baume cicatrisant pour les blessures du passé reliées aux rapports avec les autres, à la perte d'un être aimé, à un deuil. La lumière détient le pouvoir d'apaiser les sentiments instables, comme la colère, le ressentiment et la peur. Elle a la capacité de recoller les cœurs brisés et de réparer les contacts personnels détériorés.

Prenez cet instant pour visualiser la nature curative de votre amour. Vous sentez-vous plus serein, plus inspiré, plus heureux? Souvenez-vous tous les jours que votre cercle d'amour vous entoure à tout moment. Vous n'avez qu'à le faire surgir dans votre esprit pour qu'il diffuse sa magie apaisante.

18

les désirs les plus profonds

Comme votre emploi du temps se remplit rapidement, vous avez de moins en moins de temps et d'énergie pour céder à vos vraies passions, comme la peinture, le jardinage ou la danse. Vous avez sans doute besoin de ranimer dans votre mémoire ce que sont ces désirs profonds, et la raison pour laquelle leur rôle est si vital dans la préservation de votre bonheur. Il est temps de les déterrer. Prenez les quelques prochaines minutes pour refaire la mise en priorité de vos activités afin de ménager de l'espace pour les choses qui sont importantes dans votre vie.

- Si vous aimez pratiquer un art, faites une liste de ce qu'il vous faut pour commencer un nouveau projet.

- Si vous aimez le plein air, allez marcher d'un bon pas dans votre quartier.

- Si vous aimez faire de l'exercice physique, mais que vous n'avez jamais le temps d'aller au gymnase, étendez-vous sur le plancher et faites, pendant quelques minutes, quelques exercices de base pour renforcer les muscles de votre abdomen et de votre dos. Ou bien, mettez en marche cette vidéo d'aérobie, et vite !

- Si vous aspirez à manger santé, faites une liste des ingrédients nécessaires pour préparer un repas nutritif ce soir.

Votre art ou vos vraies passions sont des voies sacrées pour nourrir l'esprit d'amour qui est en vous.

19

votre meilleur ami

Pour toutes sortes de raisons, les gens tendent à s'omettre eux-mêmes sur la liste de leurs meilleurs amis.

Qu'est-ce que ce serait si vous ajoutiez votre nom sur cette liste?

Essayez de devenir « votre meilleur ami » à l'aide de l'exercice suivant:

1. Trouvez un endroit où vous pourrez vous détendre sans être interrompu. Respirez consciemment pendant environ une minute.

2. Déterminez votre intention. Par exemple : « Que cet exercice m'apporte tranquillité et bien-être. »

3. Visualisez que vous êtes assis à côté d'un ami proche. Ressentez votre affection pour cet ami.

4. Imaginez que vous lui parlez chaleureusement, lui souhaitant quelque chose de bon. Vous pourriez dire : « Je te souhaite d'être en sécurité et de vivre heureux » ou « Je te souhaite d'être heureux et en santé. »

5. Maintenant, imaginez que vous vous parlez à vous-même avec la même sollicitude. Soyez avec vous-même aussi gentil que vous l'avez été avec votre ami : « Je me souhaite d'être en sécurité et de vivre heureux. Je me souhaite d'être heureux et en santé. »

6. Reconnaissez toutes les émotions qui surgissent et traitez-les avec compassion.

20

compter les bienfaits

Quand l'esprit critique entre en action, le cœur se sent fermé et, souvent, des sentiments de colère et de chagrin prédominent.

Décentrer votre attention de ce qui est mal pour la tourner vers ce qui est bien peut tout changer.

Chaque fois que vous êtes pris dans un tourbillon de jugements critiques, essayez l'exercice suivant:

1. Prêtez attention à votre monde intérieur de critiques et de jugements. Commencez à respirer consciemment et continuez à le faire pendant environ une minute.

2. Déterminez votre intention. Par exemple : « Que cet exercice me remette en contact avec le bien-être et la joie. »

3. Centrez-vous de plus près sur vos sensations respiratoires tandis que vous respirez consciemment quelques fois encore.

4. Dirigez votre attention vers votre corps. Respirez consciemment, ressentant les sensations. Reconnaissez à quel point votre corps travaille pour vous maintenir en vie.

5. Regardez autour de vous. Reconnaissez que des gens et des choses vous soutiennent dans votre situation actuelle.

6. Ayez soin de tous les sentiments de gratitude qui montent en vous et reposez-vous en eux.

21

activiste du cœur

Soyez un guerrier de l'amour. Soyez attentif au fait que partout où vous allez, toute personne que vous rencontrez et toute situation que vous devez affronter peuvent être des occasions de transmettre radicalement l'amour. Comme activiste de l'amour, ne doutez jamais de votre capacité d'avoir un effet intense sur votre famille, vos amis, vos voisins et la communauté. Une petite action désintéressée de bonté, comme ramener la poubelle vide du voisin, ou envoyer une carte affectueuse à un ami, ou écrire une lettre de gratitude à votre associé peut avoir un effet d'entraînement positif. Prenez ce moment de conscience pour déclarer sans réserve que vous aimerez autant de personnes que possible.

1. Commencez par les membres de votre famille immédiate, vos amis et puis, la communauté.

2. Dites leur nom à haute voix et songez à un simple geste d'amour que vous pourriez faire à leur égard, comme les inclure dans vos prières ou leur souhaiter une joie sans limites et une bonne santé.

3. Notez comment vous vous sentez quand vous ouvrez votre cœur à un amour débordant envers tout le monde. Êtes-vous joyeux, enthousiaste, plein d'espoir? Avez-vous une impression de légèreté dans votre corps?

Des gestes extrêmes d'amour attisent le feu de la bonté à travers le monde.

22

que la paix soit avec vous

L'affairement, la hâte et les préoccupations de la vie peuvent facilement vous faire dérailler.

Le sens de la communication intense avec les autres est souvent la première chose qui fonctionne mal.

Apprenez à utiliser vos capacités de compassion pour vous remettre en contact.

1. Quand vous vous sentez désespéré, frustré ou agité, admettez-le de bon gré et respirez consciemment pendant environ une minute.

2. Déterminez votre intention. Par exemple : « Que cet exercice m'apporte sagesse et bien-être. »

3. Prenez quelques respirations conscientes supplémentaires.

4. Pensez à quelqu'un qui est en difficulté, qui souffre ou qui est malade. Représentez-vous cette personne aussi intégralement que possible.

5. Regardez de plus près. Intégrez tous vos sentiments personnels à la conscience, et considérez-les avec compassion.

6. Imaginez que vous parlez gentiment avec cette personne, que vous lui souhaitez d'être soulagée. Essayez de dire quelque chose comme : « Que la paix soit avec vous », ou « Je vous souhaite du bien-être. »

7. Laissez tout sentiment de gratitude vous guider.

23

se débarrasser de la rancune

« Je ne pourrai jamais lui pardonner ce qui est arrivé à l'Action de grâce il y a trois ans. » Si vous vous souvenez de la date exacte, du moment et du lieu d'un épisode douloureux qui a déclenché chez vous du ressentiment, vous saurez, avec une certitude absolue, que vous gardez rancune à quelqu'un. Il faut savoir aussi que les rancunes sont toxiques, qu'elles constituent une énergie négative qui peut s'amplifier avec le temps et alimenter le désaccord. Voici une occasion de libérer consciemment vos rancunes afin de permettre à l'amour de se répandre plus librement.

1. Faites une liste, mentalement ou par écrit, des personnes envers lesquelles vous entretenez du ressentiment.

2. Ces sentiments amers qui durent depuis longtemps peuvent être liés de très près à un souvenir doulou- reux. Prêtez attention aux sentiments et aux sensa- tions qui surgissent en vous quand vous revisitez ce souvenir douloureux, cette personne ou cette situa- tion. Ressentez-vous de la tristesse, de la honte ou de la colère? Remarquez-vous une tension s'élevant dans votre corps, dans votre cou, vos épaules ou votre estomac, par exemple?

3. Reconnectez-vous au rythme de votre respiration et observez.

4. Dites à haute voix: « Je suis prêt à laisser aller mes rancunes à ce moment-ci. Je suis prêt à me réouvrir à plus d'amour et à plus de compassion envers ce que je ne peux pas changer aujourd'hui. » Sentez-vous libre de répéter ces mots — ou vos propres mots — à plu- sieurs reprises jusqu'à ce qu'ils viennent naturelle- ment, sans difficulté.

Cet exercice fonctionne mieux quand il est fait cinq minutes par jour. Ses effets vous étonneront.

24

que je sois libéré de la souffrance

L'ouverture de votre cœur à la souffrance des autres réside dans la compassion.

Avez-vous envisagé d'affronter toute souffrance qui est vôtre avec de la compassion (plutôt qu'avec de la colère, de la peur ou de la honte)?

Utilisez cet exercice pour explorer le domaine de l'autocompassion :

1. Accordez-vous du temps et de l'espace dans la quiétude, et respirez consciemment pendant environ une minute.

2. Déterminez votre intention. Par exemple : « Que cet exercice m'aide à guérir. »

3. Prenez quelques respirations conscientes supplémentaires.

4. Rappelez une souffrance que vous portez en vous et ouvrez-vous à elle. Cette souffrance peut être physique, émotive, psychologique ou issue d'une relation avec les autres — n'importe quelle souffrance.

5. Respirez consciemment et restez ouvert à l'expérience que vous vivez. Permettez-lui d'être comme elle est.

6. Avec bonté et compassion, souhaitez-vous soulagement et bien-être. Par exemple : « Que je sois libéré de la souffrance » ou « Que je sois en paix. »

7. Respirez consciemment, répétant doucement votre phrase aussi longtemps que vous le désirez.

Un amour sage

25

la joie, c'est d'être ensemble

Quand vous êtes avec votre partenaire ou avec des membres chers de votre famille (y compris les animaux de compagnie), prenez le temps d'entrer en contact avec eux et savourez la valeur inestimable de ce moment.

Essayez cet exercice qui vous aidera à sortir de la distraction occasionnée par l'affairement de votre vie intérieure, et détendez-vous dans l'amour qui vous entoure :

1. Quelle que soit votre posture, commencez doucement et tranquillement à respirer consciemment.

2. Déterminez votre intention. Par exemple: « Que je ressente l'amour qui m'entoure en ce moment. »

3. Prenez quelques respirations conscientes supplémentaires.

4. Observez toute sensation d'inquiétude, de hâte, d'impatience ou de malaise dans votre vie intérieure. Reconnaissez-la gentiment et laissez-la s'en aller.

5. Si cela peut aider, souvenez-vous avec douceur où vous êtes. Par exemple: « En ce moment, je suis ici, avec ceux qui m'aiment. »

6. Regardez et ressentez encore de plus près. Reposez-vous dans l'amour que vous éprouvez.

26

la marche du pardon

L e pardon est le premier pas pour guérir du ressentiment et de l'animosité. Prenez les quelques prochaines
minutes pour aller dehors faire une marche énergique
vers le pardon.

1. Perdez en marchant cette rancune en puissance,
   dénouez cette colère refoulée et libérez-vous de
   l'amertume. Prêtez attention aux foyers de tension qui
   se forment dans votre corps quand vous êtes en
   colère, dans votre visage, votre poitrine ou votre dos.

2. Pendant cette marche, visualisez des images qui vous font plaisir — une nichée de chiots, une assiette de biscuits qui sortent du four, ou un bon et long câlin. Maintenant, centrez-vous sur les endroits de votre corps où ces sentiments agréables se logent, par exemple dans la courbe de votre sourire, dans le déliement de vos épaules ou dans la chaleur de votre cœur.

3. Dites à haute voix: « Je marche pour pardonner et pour être pardonné, et pour me départir de mon hostilité. Quand le pardon est dans mon cœur, je peux bouger plus librement, sans sentiments négatifs et sans mauvaise volonté. »

27

en te regardant

C ombien de fois regardez-vous la personne aimée sans la voir réellement?

Un tel échec dans la prise de contact est habituellement le résultat d'une attention dirigée ailleurs.

Essayez l'exercice suivant de « vision consciente » pour renouveler et solidifier votre relation.

1. Quand vous êtes avec la personne aimée, observez si vous êtes réellement présent, si vous prêtez attention ou pas.

2. Si vous ne prêtez pas attention, reconnaissez-le calmement, sans vous juger.

3. Déterminez tranquillement votre intention d'entrer en communication.

4. Prenez quelques respirations conscientes si cela vous aide à fixer votre attention.

5. Regardez la personne aimée avec douceur et de plus près. Voyez-la à travers des yeux remplis de bonté et d'intérêt. Observez sa peau, ses yeux, ses cheveux, son expression, ses vêtements et la posture de son corps. Continuez à respirer consciemment, et détendez-vous pendant que vous observez de plus en plus.

6. Comment vous sentez-vous? Soyez bon avec vous-même également.

7. Qu'arrivera-t-il après?

28

reconnaître chaque don

Tous les jours, vous êtes comblé de petits dons, auxquels vous ne faites pas attention le plus souvent. Combien de fois pensez-vous à reconnaître celui ou celle qui a donné?

1. Quel que soit l'endroit où vous êtes maintenant, prenez cet instant pour vous centrer sur un événement particulier, quand votre partenaire vous a offert de vous aider ou quand il a été aimable avec vous. Par exemple, la personne peut avoir bordé les enfants et leur avoir lu un livre d'histoires quand vous étiez tout simplement trop fatigué.

2. Dites à haute voix : « Je suis reconnaissant à mon partenaire de sa gentillesse et de ses dons. Je le remercie en pensée de me rappeler cet échange sacré de bonté compatissante. »

3. Souvenez-vous de cette personne, et souhaitez-lui de bonnes choses, comme la prospérité, une bonne santé et du bonheur.

C'est un simple geste de gratitude — de reconnaître la personne qui donne et de lui être reconnaissant.

29

puissiez-vous être heureux

L'expression « Je t'aime » peut signifier beaucoup de choses. La personne qui parle peut même vouloir dire une chose différente de ce que l'autre entend.

Essayez l'exercice suivant — fondé sur une ancienne formule de méditation appelée *Charité* — qui explore la gamme des significations dont on dispose à propos de « Je t'aime ».

1. Respirez ou écoutez consciemment pendant environ une minute.

2. Déterminez votre intention. Par exemple: « Que cet exercice enrichisse l'amour que je ressens et que je partage. »

3. Imaginez que vous parlez gentiment à votre amoureux, que vous lui souhaitez sincèrement d'être heureux. Vous pourriez dire quelque chose comme cela: « Je te souhaite le bonheur », « Que tu sois en santé et tranquille », « Que la paix soit avec toi », « Je te souhaite d'être en sûreté et protégé. » Utilisez à votre choix n'importe quel mot.

4. Répétez plusieurs fois votre phrase lentement, tranquillement et amoureusement.

5. Observez toute réaction que vous avez intérieurement. Acceptez-la et respectez-la.

6. Qu'avez-vous appris sur le « Je t'aime »? Que direz-vous la prochaine fois à la personne aimée?

30

regarder à l'intérieur

Voici un exercice japonais de réflexion sur soi (d'introspection), appelé *Naikan*, ce qui signifie « regard intérieur ». Pour le faire, vous vous posez trois questions chaque jour. *Naikan* est une démarche clairvoyante pour favoriser la gratitude : il propose de se centrer sur sa présence dans sa propre vie, plutôt que de se sentir piégé par les drames et les récriminations de la vie quotidienne.

1. Posez-vous cette question : « Qu'ai-je reçu aujourd'hui ? » Tenez sacré un coin de votre mémoire pour y sauvegarder les bienfaits reçus tout au long de la journée.

2. Posez-vous cette question: « Qu'ai-je donné aujourd'hui? » C'est une occasion de reconnaître à quel point vous avez été généreux pour les autres, ou à quel point vous leur avez rendu service.

3. Posez-vous cette question: « Ai-je causé des ennuis? » Prenez cet instant pour reconnaître votre part dans le portrait global des intentions cachées et des problèmes quotidiens.

Même si *Naikan* ne résout pas tous vos problèmes, il peut vous aider à mettre les choses en perspective. Quand vous réfléchissez à votre situation présente, vous sortez de la spirale descendante des conflits quotidiens. Cet exercice a le potentiel qu'il faut pour vous disposer à être plus généreux et plus reconnaissant.

31

se tenir par la main

L'amour peut se manifester au simple toucher. Les gestes physiques — une main qui en tient une autre, par exemple — peuvent traduire de profonds sentiments d'amour et de considération.

Essayez l'exercice léger suivant qui consiste à se tenir la main consciemment, afin d'explorer le domaine de l'amour avec votre partenaire:

1. Quand vous disposez d'un peu de temps ensemble, prenez la main de votre partenaire. Dites-lui ce que vous faites. Invitez-le à faire l'exercice avec vous, celui de se tenir la main consciemment.

2. Respirez consciemment pendant environ une minute. Après quelques respirations, ouvrez à la pleine conscience les sensations de votre corps et intégrez-les.

3. Déterminez votre intention. Par exemple: « Que cet exercice approfondisse notre amour. »

4. Laissez votre attention reposer entièrement dans sa main. Tenez sa main, serrez-la et caressez-la, en l'explorant entièrement, lentement et doucement.

5. Observez vos propres sensations se changer en affection.

6. Observez tout mouvement de sa main.

7. Laissez l'amour et l'affection s'écouler de votre main jusqu'à la sienne.

32

dire merci aux moments difficiles

Que vous croyiez ou non en Dieu ou en un esprit supérieur, quand avez-vous prié la dernière fois pour manifester votre gratitude pour tous les moments difficiles de votre vie? Vous dites merci pour votre nouvelle voiture, pour avoir trouvé l'amour de votre vie ou pour avoir évité d'être blessé dans un accident? Alors, pourquoi ne pas le faire aussi pour vos difficultés? Essayez cette prière contre-intuitive, dont les effets sont étonnants:

1. Debout ou assis, fermez les yeux et souvenez-vous de trois choses pour lesquelles vous êtes vraiment reconnaissant. Cela devrait être facile.

2. Maintenant, ajoutez-y trois éléments dont le souvenir est douloureux, comme un divorce difficile, la mort d'un être cher ou la perte d'une amitié.

3. Dites dans votre prière: « Je suis reconnaissant pour le bon et pour le mauvais, pour l'amour et pour les blessures. Même s'il est possible que je n'en connaisse pas la raison aujourd'hui, les situations pénibles vont tout de même m'ouvrir à de nouvelles expériences et au mystère impénétrable de la vie. »

En faisant cet exercice quotidiennement, vous constaterez les résultats étonnamment positifs qu'il entraîne.

33

éclater de rire

L e rire peut rapidement procurer des sensations de joie et de mise en contact. Il peut constituer aussi un bon exercice.

Un grand secret à connaître : il faut juste commencer à rire. Vous n'avez même pas besoin de penser à quelque chose de drôle.

Essayez l'exercice suivant qui consiste à éclater de rire avec la personne qui vous est chère — juste pour rire !

1. Invitez l'être aimé à se joindre à vous pour faire « l'exercice du rire ».

2. Commencez par une respiration consciente et ressentez vos sensations physiques pendant environ une minute.

3. Déterminez votre intention. Par exemple : « Puissions-nous trouver ensemble bonheur et joie. »

4. Laissez les ondes du rire monter en vous et sortir en grondant. Libérez les vrais rires abdominaux !

5. Essayez « hi, hi, hi » et « ha, ha, ha ».

6. Alternez votre rire avec celui de votre partenaire.

7. Riez ensemble, volontairement, comme vous aimez le faire.

34

faire la révérence

Dans certaines cultures, s'incliner devant une autre personne est une façon de lui souhaiter la bienvenue et un signe de respect. Vous pouvez essayer l'exercice suivant seul ou avec votre partenaire.

1. En position debout, faites à vous-même une première révérence. C'est une occasion de vous reconnaître comme une partie de ce vaste et mystérieux univers.

2. Dites à haute voix : « J'ai le plus profond respect pour moi-même. »

3. Inclinez-vous une deuxième fois et saluez vos êtres chers, la famille, les amis et la communauté. Concentrez-vous sur eux et envoyez-leur un message de respect et d'estime.

4. Dites à haute voix : « J'ai le plus profond respect pour tous les êtres qui me sont chers. »

5. La dernière révérence s'adresse au miracle de la vie dans l'univers.

6. Dites à haute voix : « J'ai le plus profond respect pour la force de vie qui nous entoure tous. »

Trois révérences sont suffisantes pour vivre un paisible moment de respect et de gratitude.

35

écoute affectueuse

C ombien de fois avez-vous été distrait pendant que votre partenaire parlait?

Une relation plus intense et plus de joie sont à portée de main quand vous remplacez l'inattention par une écoute affectueuse.

1. Quand votre partenaire vous parle, observez sur quoi se porte votre attention. Observez aussi tout sentiment d'impatience qui vous traverse l'esprit, ou notez les histoires que vous vous racontez mentalement. Admettez-les et laissez-les partir.

2. Accordez-vous un instant pour prendre quelques respirations pleinement conscientes.

3. Déterminez votre intention. Par exemple : « Je souhaite être plus présent à mon partenaire. »

4. Quand votre partenaire vous parle, centrez-vous consciemment sur les sons. Observez tant leur ton, leur rythme et leur volume que leur signification.

5. Regardez votre partenaire de plus près. Si vous lui parlez au téléphone, fermez les yeux et imaginez-le.

6. Pendant que vous écoutez, laissez les bonnes sensations de chaleur et d'affection se répandre en vous.

7. Laissez l'attention et l'affection guider les mots que vous prendrez pour répondre.

36

un kilomètre dans les chaussures
de votre partenaire

Vous oubliez sans cesse ce que c'est que de marcher dans les chaussures de votre partenaire. La prochaine fois que vous vous sentirez frustré ou déçu par lui, tentez cette visualisation:

Imaginez que vous enlevez vos chaussures et que vous mettez les siennes. Quelles sont les premières choses que vous devriez observer à leur sujet? Sont-elles trop grandes, défraîchies ou appelées à être réparées?

Prenez en considération les kilomètres d'expériences de vie que votre partenaire a marché. Essayez d'imaginer la myriade de sentiments qu'il a vécus dans ces chaussures — angoisse et désespoir, désarroi et doute, enthousiasme et extase.

Il est temps maintenant de glisser vos pieds dans vos propres chaussures, et de vous ouvrir à votre énorme capacité d'empathie et de compréhension.

37

l'amour sans retour

B ien que les attentes fassent normalement partie de la vie quotidienne, elles peuvent entraver votre capacité d'aimer plus généreusement. Si vous ne tenez pas vos attentes en échec, vous serez victime de pensées négatives, comme : « S'il m'avait vraiment aimé, il m'aurait aidé plus souvent » ou « Après tout ce que j'ai fait pour elle par amour, elle devrait au moins se rappeler ce qui est important pour moi. » L'exercice suivant vous aidera à vous défaire de vos attentes et à vous donner la liberté d'aimer sans attendre quoi que ce soit en retour :

1. En ce moment, faites un effort conscient pour reconnaître quelques-unes des attentes que vous entretenez à l'égard de votre partenaire, de votre famille ou de vos amis.

2. Examinez quelles attentes sont justes et quelles sont celles qui sont possiblement irréalistes.

3. Maintenant, retournez en arrière dans votre vie, au moment où quelqu'un vous aimait et que vous ne sentiez aucune obligation envers cette personne. Souvent, le meilleur ami est celui qui peut accorder son amitié sans qu'aucune responsabilité y soit rattachée.

4. Maintenant, répétez cette affirmation à haute voix : « Je suis une personne aimante. Quand j'aime, c'est sans conditions ni arrière-pensées. Aimer, c'est donner sans attendre quoi que ce soit en retour. »

38

partager le silence

E t si « être ensemble » était en fait centré sur « l'être » et non sur « le faire »?

Peut-être qu'une dimension de communication — toujours présente, mais souvent ignorée — devrait s'ouvrir.

« Être » ensemble pourrait alors illuminer et enrichir tout ce que vous « ferez » ensemble après.

Essayez l'exercice suivant — partager le silence consciemment — pour explorer le champ de la communication avec votre partenaire :

1. Demandez à votre partenaire de se joindre à vous pour quelques minutes, et asseyez-vous ou étendez-vous tout près l'un de l'autre.

2. Respirez consciemment pendant environ une minute.

3. Déterminez votre intention. Par exemple: « Que cet exercice fait ensemble nous procure un grand bonheur. »

4. Détendez-vous et respirez consciemment ensemble. Partagez l'espace, le silence et votre présence mutuelle. Laissez partir pensées et affairement. Soyez seulement ensemble.

5. Si vous le désirez et quand cela vous convient, souriez et touchez-vous l'un et l'autre amoureusement.

39

respecter ses engagements

L'amour sage reconnaît le caractère sacré du respect des engagements. Cela explique peut-être la raison pour laquelle tant de cérémonies de mariage comprennent une déclaration de serments en présence de témoins. Et alors, si vous vous engagiez quotidiennement à respecter vos serments, au lieu de ne le faire que le jour « exceptionnel » du mariage ? Encouragez votre partenaire ou votre amoureux à participer au prochain exercice :

1. Prenez un instant pour mettre sur le dessus de la pile trois engagements, comme la loyauté, le respect et l'honnêteté. Ou bien l'amour, la générosité et l'amitié.

2. Répétez vos serments à haute voix, à vous-même ou à votre partenaire. Examinez la raison pour laquelle vous avez choisi ces trois serments-là, et le sens du devoir et l'importance que ces serments tiennent dans votre vie et dans vos relations.

3. Dites à haute voix à vous-même ou à votre partenaire : « Je m'engage à respecter tous les jours les serments que je t'ai faits. »

Cet engagement est sacré et constitue le ciment permanent qui soude de façon durable la relation amoureuse.

40

comment puis-je aider ?

Être généreux envers les êtres chers ou sa partenaire ne signifie pas nécessairement leur donner de l'argent.

La générosité se manifeste par une attention bienveillante, inspirée de patience, d'attention et d'amour.

La générosité est ressentie particulièrement fortement quand l'attention est soutenue, immédiate et désintéressée.

Essayez de montrer votre intérêt à votre partenaire et de lui offrir votre aide comme un « miracle de tous les jours » dans les interactions les plus courantes, les plus ordinaires.

1. Quand votre partenaire appelle à l'aide ou vous demande du soutien, demandez-lui d'attendre un instant et respirez consciemment à quelques reprises.

2. Déterminez votre intention. Par exemple : « Que je puisse lui donner mon attention librement et avec amour. »

3. Observez tout sentiment d'impatience ou d'irritation que vous pourriez avoir. Reconnaissez-le avec indulgence et laissez-le aller. Respirez consciemment un peu plus longuement.

4. Prêtez-lui maintenant une attention totale.

5. Reconnaissez les bienfaits d'avoir une personne qui vous aime.

6. Répondez-lui avec gentillesse : « Comment puis-je aider ? »

41

prendre le bon et le mauvais

P ersonne n'est parfait, n'est-ce pas? Que votre relation soit toute nouvelle ou que vous soyez ensemble depuis des décennies, vous allez possiblement commencer à repérer toutes les faiblesses et les défauts de votre partenaire. Vous avez sans doute pensé : « Si seulement elle le faisait à ma façon, ce serait plus efficace », ou bien « S'il avait été meilleur dans l'accomplissement de cette tâche, la vie serait plus simple. » Cette marche vers une attitude de désapprobation peut sans cesse conduire à la déception. Essayez cet exercice conscient pour apaiser l'esprit critique :

1. Faites mentalement ou par écrit une liste de trois choses pour lesquelles votre partenaire n'est pas très doué, comme la cuisine, l'achat de vêtements pour les enfants ou le paiement de factures dans les délais.

2. Faites mentalement ou par écrit une liste de trois éléments pour lesquels votre partenaire est très doué, comme réparer la maison, suivre des directives ou organiser les déplacements pour les vacances.

3. Faites de même en ce qui concerne vos forces et faiblesses personnelles dans la relation. Soyez conscient de la sorte de compassion et de compréhension que vous êtes en mesure de transmettre à quelqu'un d'autre étant donné vos propres limites.

4. Enfin, examinez à quel point chacun d'entre vous équilibre l'autre.

L'amour est un travail à deux, et vous avez tous les deux ce qu'il faut pour que cela fonctionne, en aimant la personne entièrement, avec ses défauts et tout le reste.

42

tes bienfaits sur moi

R econnaître ouvertement les dons quotidiens de votre
partenaire et en être reconnaissant peut nourrir votre relation.

Prêtez une attention consciente aux situations rou-
tinières de la vie avec lui. Exercez-vous à éprouver et à
exprimer la joie, la sécurité et la gratitude que vous ressentez.

1. Arrêtez, détendez-vous et respirez consciemment
   pendant environ une minute.

2. Déterminez votre intention. Par exemple : « Que cet exercice approfondisse mon amour pour lui. »

3. Prenez quelques respirations conscientes supplémentaires.

4. Intéressez-vous à votre partenaire. Comment soutient-il votre vie à deux ? Portez attention aux « petites choses », comme les sacrifices quotidiens, les dons et les qualités exceptionnelles, et les contributions à votre bonheur et à votre bien-être.

5. Respirez consciemment tandis que vous réfléchissez plus avant. Visualisez-le en action pendant la journée. Ressentez le bien-être et le bonheur que ses actions suscitent en vous.

6. Remerciez-le et, quand vous le verrez, dites-lui à quel point ses bienfaits vous font du bien.

43

patience durant le voyage

Si vous êtes habitué à la gratification instantanée, à avoir tout ce dont vous avez besoin rien qu'en appuyant sur un bouton, votre capacité de patience peut s'atrophier comme un muscle inactif. Quand vous commencez à vous plaindre et qu'un sentiment d'insistance domine toutes vos pensées, c'est un signe que l'impatience vous envahit. Vous pouvez penser intérieurement: « Je souhaite qu'elle se dépêche » ou « Il met une éternité à finir ses corvées. » La méditation des cinq prochaines minutes va faire naître chez vous un peu de patience, notamment pour ces moments-là:

1. Profitez de ce moment pour arrêter tout ce que vous faites. Trouvez un endroit où vous asseoir et fermez la porte au monde, si possible.

2. Pendant que vous commencez à apaiser votre esprit, essayez de visualiser exactement où réside la patience dans votre corps. Peut-être que la patience est en vacances dans votre esprit ou qu'elle a tout à fait quitté votre corps.

3. Examinez un moment où vous n'étiez pas pressé, pas anxieux que votre partenaire accélère. Un moment où vous étiez tout simplement tranquille et serein devant le flot normal de la vie.

4. Dites votre intention à haute voix: « J'appelle les vents calmes de la patience. Que la patience soit toujours présente dans ma vie, de façon constante et durable. »

Quand vous faites entrer la patience, l'amour et la compréhension vont sûrement se frayer un passage en vous.

44

te tenir dans mes bras

L a vie ne survient que dans le moment présent.

Le moment présent est le seul temps pour être avec la personne que vous aimez.

Permettez à la pleine conscience de vous aider à entrer en communication plus intensément la prochaine fois que vous tiendrez dans vos bras la personne aimée.

1. Pendant que vous enlacez la personne que vous aimez, détendez-vous et prenez quelques respirations conscientes.

2. Reconnaissez la valeur inestimable de ce moment, et déterminez votre intention d'être totalement présent.

3. Continuez à l'enlacer, respirant consciemment et vous permettant de vous détendre et de vous ouvrir à cette expérience.

4. Prêtez doucement une attention consciente à chaque nouvelle sensation, son, odeur et goût, comme cela vient. Laissez chaque expérience venir à vous et vous combler. Laissez chacune s'en aller.

5. Quand votre attention se tourne vers des images du passé ou du futur, ramenez-la doucement aux expériences qui se déroulent ici et maintenant. Détendez-vous.

6. Buvez pleinement ce moment délicieux.

45

les étoiles de la compassion

L e Dalaï-Lama pense que si vous méditez sur la compassion envers les autres, vous en serez le premier bénéficiaire. Le Bouddha croyait que si vous vous aimez vous-même, vous ne pouvez pas faire de mal à l'autre. La compassion commence par soi. Il faut se rappeler sans cesse que les autres souffrent aussi; vous n'êtes donc pas seul. Cette méditation vous guidera tout au long de votre cheminement vers une plus grande empathie et un plus grand bonheur.

1. Que signifie pour vous la compassion? Réfléchissez à ce que veut dire avoir de l'empathie, de la compréhension et de l'intérêt pour les autres. Pour certains,

c'est une sensibilité empathique à la complexité des situations difficiles, et aux sentiments confus qui surgissent dans ces circonstances.

2. Examinez une occasion où vous avez manifesté de la compassion. Avez-vous réconforté quelqu'un qui vivait une rupture douloureuse? Avez-vous fait un don à un organisme d'aide aux victimes de catastrophes naturelles?

3. De quelles émotions faites-vous l'expérience maintenant? Réceptivité à l'appel au secours? Sympathie? Passion?

4. Maintenant, examinez une occasion où quelqu'un vous a manifesté de la compassion? Un ami vous a peut-être donné un soutien émotif additionnel lors d'un moment délicat de votre vie?

Ces personnes sont les étoiles de la compassion: elles éclairent le sentier de notre marche vers le bonheur.

46

des chants d'amour
hors de l'ordinaire

L a volonté et les aspirations dans les relations amoureuses peuvent très facilement s'enliser dans la gravité et le pragmatisme.

Cependant, légèreté et sens de l'humour sont plus accessibles que vous pourriez l'imaginer.

Tournez-vous vers le plaisir en ajoutant une bande sonore inattendue à un moment donné !

1. Quand vous et votre partenaire êtes occupés à faire des tâches ménagères ensemble, prenez tranquillement une respiration consciente.

2. Déterminez votre intention. Par exemple : « Que cet exercice nous fasse rire. »

3. Commencez progressivement à chanter à pleine voix sur ce que vous êtes en train de faire. Ajoutez-y du théâtral et de la puissance. Soyez romantique. Soyez drôle. Chantez avec enthousiasme.

4. Ajoutez des phrases comme « Et je t'aime » ou « Je ne peux pas vivre sans toi » ou « Et tu es magnifique. »

5. Lorsque vous ne pouvez pas être avec votre partenaire, imaginez que vous lui chantez quelque chose. Riez et ayez du plaisir.

47

être un ami

L'amour seul ne fait pas de vous un ami extra-ordinaire. En fait, vous pouvez tout oublier des vertus de l'amitié si vous avez passé un laps de temps important sans relations d'amitié. Ne vous laissez pas dissuader de la nécessité de maintenir une relation d'amitié signifiante avec la personne que vous aimez. Voici comment devenir un ami chaleureux :

1. Bien que vous aimiez votre partenaire plus que n'importe qui sur terre, soyez conscient du nombre de fois où vous ne l'avez pas traité avec le même respect que celui que vous manifestez instinctivement envers vos amis.

2. Prenez quelques instants pour examiner trois principes de l'amitié qui sont importants pour vous, comme être bon, avoir une attitude de non-jugement ou être d'un grand soutien. Réfléchissez à la signification de ces trois qualités vénérées.

3. Dites à haute voix : « J'estime que l'amitié est une composante essentielle de toute relation. » Maintenant, insérez vos trois principes dans cette phrase et laissez les mots investir votre esprit : « Tous les jours, je m'efforce _____ , _____ et _____ avec mon partenaire et les êtres qui me sont chers. »

48

être sensible aux différences

Être patient l'un envers l'autre protège votre relation.

Prenez un instant pour vous détendre, réfléchir et discerner à quel point ses façons d'être sont différentes des vôtres, et soyez sensible à ces différences.

Les récompenses pourraient être délicieuses.

1. Accordez-vous un peu de temps. Choisissez un endroit agréable et respirez consciemment pendant environ une minute.

2. Déterminez votre intention. Par exemple: « Que cet exercice fasse grandir notre amour. »

3. Autorisez-vous à continuer à vous adoucir et à vous ouvrir pendant que vous prenez quelques respirations conscientes supplémentaires.

4. Introduisez l'image de votre partenaire dans votre cœur et dans votre esprit.

5. Souvenez-vous à quel point il fait certaines choses différemment de vous. Pensez à un exemple. Reconnaissez toute irritation que vous ressentez. Respirez attentivement pendant que vous réfléchissez.

6. Regardez de plus près. Constatez comment sa façon d'être reflète des qualités intérieures qui sont intenses, uniques et particulièrement authentiques dans son cas.

7. En regardant de plus près, pouvez-vous maintenant apprécier davantage la beauté et la richesse des différences?

49

une cuillerée de réconfort

Rassurer est le remède le plus rapide pour guérir une âme troublée. Quand vous offrez sécurité et assurance à quelqu'un qui vit une situation déchirante, vous êtes en train de lui faire un des plus grands dons de bonté et d'amitié.

Commençons l'exercice dès maintenant! Voici quelques suggestions sur la façon d'être d'un grand secours à quelqu'un que vous aimez, et de lui apporter du réconfort:

- Écrivez une note à votre partenaire lui rappelant qu'il est important pour vous, que tout ira bien et que vous resterez à ses côtés dans les moments difficiles.

- Offrez-lui du réconfort en lui donnant un câlin, un coup de fil ou en lui offrant des fleurs.

- Quand votre partenaire traverse un dur moment, montrez-lui que vous le soutenez en lui envoyant un courriel ou un message-texte pour savoir comment il s'en tire.

- Reconnaissez les réalisations de votre partenaire, qu'elles soient grandes ou petites.

Quand vous passez une journée stressante, souvenez-vous d'étendre ces gestes de réconfort et de soutien à vous-même.

50

ici, pour toi

Votre présence est un cadeau dont la valeur est inestimable. Néanmoins, rester présent, particulièrement si votre amoureux est sans cesse souffrant ou bouleversé, peut être extrêmement difficile.

Cet exercice peut vous aider à rester présent à sa souffrance et à lui offrir plus de soutien.

1. Quand votre partenaire est souffrant ou vous rapporte une difficulté, prenez quelques respirations conscientes.

2. Déterminez votre intention. Par exemple: « Que je reste présent et d'un grand secours pour lui. »

3. Quand il parle de ce qui le tracasse, écoutez-le attentivement, et autorisez-vous à vous détendre.

4. Notez toute impulsion pour l'interrompre, pour lui donner un avis hâtif ou pour le critiquer, et laissez-la partir. Continuez à respirer. Détendez-vous. Restez présent. Écoutez attentivement.

5. Recevez tout ce que vous entendez avec un silence bienveillant et sympathique ou avec des phrases toutes simples comme « Je souhaite que les choses aillent mieux » ou « Je suis désolé que les choses aillent si mal. »

6. Laissez la pleine conscience et la compassion guider vos paroles et vos actes.

51

être sensible aux petites choses

Tout le monde se sent coupable de cela. Vous vous traînez les pieds dans une routine paralysante et vous oubliez de manifester à votre partenaire à quel point vous l'estimez vraiment. Sortez de l'ornière qui vous fait tenir l'un et l'autre pour acquis en faisant ensemble l'exercice suivant, qui vous aidera à trouver le chemin de la gratitude :

1. Notez d'abord les petites choses. Être conscient des fleurs qui s'épanouissent dehors ou du filet de soleil d'hiver à travers votre fenêtre ou du bruit de vos enfants riant sottement dans leur chambre à coucher

vous postera à la ligne de départ pour ouvrir votre cœur à la conscience de tout ce qui vous entoure.

2. Maintenant, faites mentalement une liste de choses que votre partenaire fait et auxquelles vous êtes vraiment sensible, des choses comme préparer le café tous les matins, faire une course pour vous ou payer l'addition au restaurant.

3. Laissez vos sentiments de gratitude s'épanouir dans votre corps, en commençant peut-être par un sourire. Laissez la gratitude se réchauffer dans votre cœur et descendre jusqu'à la pointe de vos pieds.

4. Dites à haute voix, pour vous-même ou pour votre partenaire : « Je suis plein de gratitude pour toutes les petites choses que tu fais pour rendre ma vie plus facile et plus douce. »

L'amour en action

52

pas de souffrance, pas de blâme

N'avez-vous jamais remarqué combien de fois l'envie de blâmer quelqu'un provient de vos propres sentiments de souffrance et d'inquiétude?

Si l'esprit de responsabilité et l'obligation de rendre compte sont vitaux pour entretenir une relation saine, la critique injuste et le blâme lui sont toxiques.

Essayez l'exercice suivant la prochaine fois que vous vous sentirez blessé et que vous aurez envie de blâmer quelqu'un:

1. Respirez ou écoutez consciemment pendant environ une minute.

2. Mettez vos sensations physiques au centre de votre attention consciente. Observez particulièrement votre gorge, votre poitrine et votre abdomen.

3. Laissez votre attention s'imprégner de bonté et de compassion.

4. Déterminez votre intention. Par exemple : « Que ma souffrance ne m'amène pas à blesser quelqu'un d'autre. »

5. Respirez, écoutez ou observez consciemment vos sensations pendant quelques respirations supplémentaires.

6. Notez toute pensée reliée à la colère, au blâme ou à ce qui se passe en ce moment. Laissez-la s'en aller. Cessez de la nourrir ou de la retenir. Ne vous blâmez pas cependant pour celles qui ont surgi en vous.

7. Décidez de l'action la plus sage, mais seulement après avoir prêté attention à votre propre souffrance.

53

prendre une pause pour se secouer

Des prises de bec éprouvantes avec la personne aimée peuvent entraîner une réaction en chaîne de stress et d'anxiété. La colère a une façon de faire pencher la balance de son côté, renversant les choses auxquelles vous attachez le plus d'importance dans la vie, comme la bonté, l'empathie et le sens du compromis. Une pause pour vous secouer, planifiée à l'avance, peut vous aider tous les deux à dissiper la rage. Essayez-la ensemble, si possible.

1. Quand la tension et la colère atteignent le point de rupture, au lieu de traîner le problème indéfiniment, négociez de prendre une pause, réservant un moment pour rediscuter de cela ultérieurement, et allez chacun

faire une promenade ou prendre l'air. Dans le feu du moment, donnez-vous tous les deux la permission de vous quitter sans exiger que tout soit résolu maintenant. Combien de disputes ont-elles été résolues lors d'un affrontement où l'on pousse les hauts cris?

2. Une fois que vous êtes parti, après avoir fait un arrangement avec votre partenaire voulant que vous vous penchiez là-dessus plus tard, trouvez un endroit tranquille pour essayer cet exercice physique. Commencez, debout, par secouer chaque partie de votre corps. Allez, ne soyez pas embarrassé! Soyez méthodique dans votre façon de bouger, de secouer la tête, le cou, les épaules, les bras, les doigts, la poitrine, le torse, les hanches, l'estomac, les jambes, les chevilles et les orteils.

3. Continuez ces mouvements tandis que vous évacuez les pensées et les sentiments accablants. Imaginez que tous ces mouvements permettent à votre colère et à votre souffrance de couler goutte à goutte de vos oreilles.

Ne laissez pas la colère et le ressentiment déstabiliser votre relation. Secouez-vous et pressez le pas dans la direction de la résolution du conflit.

54

offrir le pardon

Dans toute relation entre êtres humains, il est inévitable que nous nous blessions, intentionnellement ou non. C'est la raison pour laquelle le *pardon* est si important. Quand quelqu'un vous blesse, vous avez le choix entre avoir du ressentiment ou offrir le pardon.

Le pardon est « offert » puisque vous n'avez aucun contrôle sur la réponse : l'autre l'acceptera-t-il ou non ?

Offrir de pardonner n'est *pas* une invitation à l'autre pour vous blesser de nouveau ; c'est plutôt un moyen de libérer votre propre souffrance.

Vous pouvez explorer l'offre de pardon avec cet exercice :

1. Respirez ou écoutez consciemment pendant environ une minute.

2. Déterminez votre intention. Par exemple : « Que j'apprenne davantage sur le pardon. »

3. Souvenez-vous d'une blessure que quelqu'un vous a infligée.

4. Imaginez que vous parlez à cette personne, que vous lui dites : « Je vous offre le pardon. »

5. Répétez cette phrase plusieurs fois et notez calmement vos propres réactions intérieures.

6. Qu'apprenez-vous ? Que doit-il arriver après ?

55

le rituel de l'accueil

S i vous avez un animal de compagnie, vous connaissez le vif enthousiasme, la loyauté et le profond attachement que votre animal vous manifeste quand vous rentrez
à la maison. Notez cela. Vous pouvez faire un effort plus
grand pour accueillir votre amoureux quand il rentre à la
maison. Soyez conscient de la demande insistante que
vous lui adressez pour discuter immédiatement d'affaires
urgentes, comme des factures à payer ou des réparations à
faire. Afin d'imprégner d'amour le moment de l'accueil,
essayez un des rituels de bienvenue suivants :

- « Je suis contente que tu sois là ! Tu remplis ma vie de joie. »

- « Cela a été une longue journée. Soutenons-nous l'un et l'autre pendant cette soirée. »

- « Tu m'as manqué toute la journée. Je suis si reconnaissante que tu sois rentré à la maison sain et sauf. »

- « C'est toujours si bon de te revoir. Tu me fais toujours fondre d'amour. »

- « Il y a tant de choses à discuter ; mais d'abord, ne soyons qu'amour et soutien l'un pour l'autre. »

- « Nos problèmes peuvent attendre. Je veux juste te donner un gros câlin et te dire à quel point je te chéris. »

56

demander pardon

L e ressentiment peut endommager une relation — souvent gravement.

Comme êtres humains, il est sûr que, dans nos relations, nous ferons souffrir l'autre, que nous le voulions ou non.

Une manifestation convaincante d'amour en action est d'admettre que vous avez eu des actions ou des paroles blessantes, et de présenter des excuses ou de demander pardon.

L'exercice suivant est un moyen pour vous d'explorer le geste qui consiste à demander pardon :

1. Accordez-vous un espace et du temps à vous. Respirez ou écoutez consciemment pendant environ une minute.

2. Déterminez votre intention. Par exemple : « Que cet exercice m'aide à solidifier ma relation. »

3. Pensez à quelqu'un que vous avez blessé, intentionnellement ou non.

4. Imaginez que vous parlez à cette personne. Par exemple : « Pour toute souffrance que j'ai pu te causer, je te demande pardon. »

5. Avec compassion, répétez cette phrase quelques fois et notez vos réactions.

6. Que découvrez-vous ? Que ferez-vous maintenant ?

57

l'ancre de l'amour

S i quelqu'un que vous aimez souffre de dépression ou d'une autre épreuve en santé mentale, vous savez alors, en partant, les pressions que cela peut exercer sur une relation. L'humeur changeante ou erratique de votre partenaire peut vous affecter jour après jour. Avec le prochain exercice, laissez l'amour entrer en vous et guider votre cœur vers la compassion et l'espoir:

1. Les émotions positives et négatives vont fluctuer avec les saisons, souvent sans aucune provocation. Évitez d'essayer de prédire les emportements émotifs passagers de qui que ce soit. Ne vous blâmez pas ou ne tentez pas de lire dans ses pensées.

2. Revenez sur deux occasions où l'être aimé était content, calme et plutôt heureux. Peut-être était-ce lors de la sortie du dernier week-end ou à la naissance de votre enfant?

3. La prochaine fois que votre partenaire se sentira de mauvaise humeur, laissez-le ÊTRE seulement. Laissez ses émotions suivre leur cours naturel.

4. Dites à haute voix ou pour vous-même: « C'est une période très difficile pour toi. Je suis l'ancre où tu peux t'accrocher. Cela passera. »

5. Aimez-le à travers cet accès de souffrance. Souvenez-vous que vous ne pouvez pas arranger les choses pour quelqu'un d'autre, mais que vous « pouvez » le soutenir amoureusement dans un moment difficile.

58

éteindre le pilote automatique

L'invariable routine de la vie quotidienne peut rendre plusieurs couples semblables à des robots, qui fonctionnent sur une sorte de pilote automatique. Il est temps de vous rebrancher consciemment et de prendre congé de cette habitude. Prenez cet instant pour vous arrêter au milieu de votre train-train et pour faire quelque chose de différent. Voici quelques suggestions :

- Si vous regardez la télévision tous les soirs après votre travail, faites plutôt une promenade avec votre partenaire.

- Si vous commencez toujours une série de corvées avant de préparer le souper, faites une pause de vos multiples tâches et invitez votre partenaire à s'asseoir avec vous pour prendre une tasse de thé.

- Demandez à votre partenaire de partager quelque chose de bon qui lui est arrivé durant la journée.

- Rappelez à votre partenaire cinq choses que vous valorisez vraiment chez lui.

- Invitez votre partenaire à être enjoué et prétendez que votre canapé est un spa ou un lit d'eau, ou que vous venez tout juste de plonger dans un lac vivifiant et de remonter à la surface pour prendre un peu d'air.

- Demandez à votre partenaire d'être spontané avec vous et rompez dès maintenant avec cette routine sans vie !

59

se pardonner à soi-même

Dans la souffrance et le chagrin que des relations peuvent causer, il est aisé de ne pas répondre au besoin de vous inclure vous-même dans l'offre de pardon et la demande de pardon.

Essayez l'exercice suivant afin de vous soumettre explicitement au pouvoir de guérison du pardon:

1. Respirez ou écoutez consciemment pendant environ une minute.

2. Déterminez votre intention. Par exemple: « Que cet exercice favorise la guérison en moi. »

3. Respirez ou écoutez consciemment pendant quelques respirations supplémentaires.

4. Remettez-vous en mémoire une situation dans laquelle vous avez aussi bien causé que ressenti de la souffrance.

5. Sans perdre le fil de l'histoire et avec autant de compassion que vous le pouvez, parlez-vous avec douceur. Dites quelque chose comme : « Pour toute souffrance que j'ai pu causer, intentionnellement ou non, je m'offre le pardon. »

6. Répétez cette phrase à quelques reprises, en prenant note de vos réactions intérieures.

7. Reconnaissez et tirez des leçons de *toutes* vos réactions.

60

travailler ensemble

Pour la plupart d'entre vous, c'est logique de faire les tâches ménagères séparément. C'est le bon temps pour votre partenaire de réparer quelque chose à l'extérieur pendant que vous faites la lessive. Cependant, une relation n'est pas toujours que productivité et efficacité. Elle trouve des moyens imaginatifs d'encourager l'amour tous les jours dans votre relation. Prenez cinq minutes pour partager les corvées :

- Lavez et essuyez la vaisselle ensemble.

- Pliez le linge propre ensemble.

- Préparez un repas ensemble.

- Récurez le plancher de la cuisine ensemble.

- Faites ensemble du travail dans la cour.

- Faites le lit ensemble.

- Réorganisez ensemble un tiroir en désordre.

- Lavez toutes les vitres de l'auto ensemble.

- Nettoyez la table après le dîner et rangez la nourriture ensemble.

- Époussetez une pièce ensemble.

- Dressez ensemble une liste de choses à faire.

- Nettoyez la salle de bain ensemble.

- Pour les corvées, faites l'école buissonnière ensemble.

61

en sécurité avec moi

U n des plus grands cadeaux que vous pouvez offrir à l'autre est de se sentir en sécurité en votre compagnie.

En apprenant à mieux gérer vos propres états de colère et de peur, vous ferez de votre présence un lieu plus sûr et plus invitant pour les autres.

Essayez cet exercice afin de travailler sur votre colère et votre peur :

1. Quand vous remarquerez que vous êtes contrarié ou en colère, offrez-vous consciemment de la compassion.

2. Respirez, écoutez ou bougez consciemment pendant environ une minute.

3. Déterminez votre intention. Par exemple : « Que je puisse gérer sagement ma propre colère et ma propre contrariété. »

4. Cessez de combattre la colère ou la peur. Cessez également de les nourrir. Essayez de leur faire une place. Ressentez-les dans votre corps. Quel que soit le sentiment éprouvé, accompagnez-le d'une respiration consciente.

5. Notez toute pensée dictée par la colère ou la peur. Ne la combattez pas, mais ne l'alimentez pas non plus. Reconnaissez-la et laissez-la partir. Respirez consciemment avec elle.

6. Finissez par une proposition que vous offrez à vous-même. Par exemple : « Je suis plus fort et plus rusé que cette colère. »

7. Allez de l'avant.

62

des vagues de sérénité

Un stress qui s'amplifie peut s'installer dans votre vie comme s'il en était propriétaire, prenant le contrôle de votre esprit et de votre corps. Il peut perturber votre relation et déclencher toute une série de querelles non fondées, autour de sujets sans importance. Quand la prochaine occasion de stress se présentera, faites l'essai de cette visualisation relaxante.

Arrêtez cette folie, trouvez un endroit tranquille pour vous asseoir et fermez les yeux. À votre prochaine expiration lente, ressentez les vagues d'air s'éloigner de vous, laissant vos poumons vides. Vérifiez vos épaules et assurez-vous qu'elles ne sont pas collées sur vos oreilles.

Tout en inspirant, centrez-vous sur la respiration qui part du ventre, comme si ce dernier était un ballon qui se gonfle et s'aplatit à chaque respiration. Maintenant, imaginez qu'à chaque inspiration vous dérivez librement, loin de vos soucis et de votre tension. Vous êtes emporté par le courant vers l'horizon, prenant vos distances par rapport à vos soucis. En expirant, imaginez des vagues de sérénité se soulever en vous.

Bougez doucement toute la journée.

63

se dégager de tout cela

Plusieurs couples doivent s'occuper des membres plus âgés de leur famille. Les « aidants naturels » subissent un stress énorme, qui peut drainer les réserves d'énergie destinées à d'autres êtres aimés qui, eux aussi, ont besoin d'eux. L'exercice suivant vous aidera à soulager la tension mentale accumulée et à vous réalimenter afin de faire une meilleure route :

1. Commencez par de simples mouvements d'étirement, afin de stimuler la circulation sanguine et de relâcher la tension. Mettez vos deux bras au-dessus de votre tête et étirez-les vers le ciel, puis laissez doucement

tomber vos bras et penchez votre corps vers l'avant, comme suspendu au-dessus de vos orteils. Faites cet exercice à quelques reprises.

2. Maintenant, prenez un instant pour vérifier votre état. Êtes-vous fatigué, épuisé? Vous sentez-vous confus et agressé? Anxieux, à plat?

3. Accordez-vous la permission de tout laisser aller. Pendant cinq minutes entières, si possible, vous n'êtes responsable de rien ni de personne.

4. Dites à haute voix cette affirmation: « En ce moment, je n'ai aucun contrôle sur les détails. Pour l'instant, je ne prends soin que de moi, de telle sorte que je pourrai retourner m'occuper des autres avec plus d'affection et une attention plus soutenue. »

64

que se passe-t-il vraiment?

Quand vous lui parlez ou que vous l'écoutez, si votre partenaire devient irritable, ressentez-vous toujours de la frustration?

Gérer avec efficacité vos propres réactions, en plein dans ces moments difficiles, est le premier pas à faire pour donner à votre partenaire un meilleur soutien et une plus grande aide.

L'exercice suivant pourrait constituer une nouvelle démarche pour vous deux:

1. Quand vous devez affronter un partenaire irritable, prenez le parti d'essayer quelque chose de différent.

2. Respirez consciemment pendant environ une minute.

3. Déterminez votre intention. Par exemple: « Que cet exercice me soutienne et lui apporte de l'aide. »

4. Recueillez-vous et retrouvez votre équilibre en respirant consciemment et en laissant votre corps se détendre un peu.

5. Admettez tranquillement sa colère envers vous, puis changez le terme « colère » en « douleur ». Commencez à voir, à entendre et à sentir sa colère comme une douleur.

6. Notez attentivement ce qui se passe intérieurement lorsque vous acceptez la douleur.

7. Réagissez sagement à cette douleur.

65

réchauffer les froids silences

Tous les couples connaissent le jeu d'antan qui consiste à se taire, à refuser de parler. Lors d'une dispute, vous êtes tous les deux dans une impasse et votre geste ultime est de garder le silence. À ce moment-là, vous pouvez même remarquer une brise légèrement glaciale envahir la pièce. Réchauffez votre cœur et votre relation à l'aide de l'exercice suivant:

1. La prochaine fois que vous vous sentirez fermé, saisissez l'occasion de cette retraite silencieuse pour rechercher la compréhension et le compromis, au lieu de bâtir une meilleure argumentation pour la deuxième manche.

2. Prenez en considération les deux faces de cette situation ou de cette mésentente, et admettez qu'il peut y avoir, selon la manière avec laquelle vous la regardez, plusieurs angles différents pour l'interpréter.

3. Faites une liste, mentalement ou par écrit, des quelques points de vue sur lesquels vous seriez prêt à être flexible lors de la tentative de résolution des problèmes rencontrés.

4. Une fois le calme revenu, laissez savoir à votre partenaire ou à votre amoureux que, en bout de piste, vous recherchez le compromis et la résolution du conflit.

L'art de la réconciliation nécessite de l'entraînement, et exige un engagement de la part des deux personnes impliquées.

66

retrouver le fil des sentiments

Avez-vous des difficultés à exprimer ce qui vous préoccupe, à communiquer vos sentiments? Nous en avons tous, occasionnellement. Pendant des périodes de conflit ou de problèmes non encore résolus, vous vivez probablement un stress émotionnel excessif et vous devenez accablé, ce qui vous rend incapable d'articuler ce que vous ressentez vraiment. Laissez la prochaine visualisation vous aider à vous détendre devant la gravité de votre situation afin de revenir à ce qui est dans votre cœur.

Imaginez que vous vous embarquez dans un petit bateau à rames sur un lac paisible et immobile. Pas de bateaux à moteur, pas de surfeurs — seulement vous et votre canne à pêche. Même si vous ne savez pas pêcher, vous savez instinctivement qu'il faut lancer le fil appâté dans l'eau, et qu'il faut remonter la ligne après un moment. Représentez-vous en train de pêcher. Chaque fois que vous lancez la ligne, visualisez que vous jetez vos problèmes, que vous vous débarrassez de vos soucis. Chaque fois que vous enroulez la ligne de pêche, imaginez que vous enroulez vos sentiments. Quand vous apaisez votre esprit, vous faites de l'espace pour les sentiments. Quelles sortes d'émotions surgissent à la surface de vos eaux claires comme du cristal?

67

colère et peur

Être intelligent émotionnellement comporte le développement d'une conscience de soi sensible et juste.

Dans toute relation amoureuse, il faut s'attendre à vivre des frustrations, des désaccords et de la colère.

En apprenant à regarder de plus près, vous trouvez souvent de la peur sous une manifestation de colère. Il se peut que ce soit la peur qui vous conduit réellement.

Essayez l'exercice suivant pour explorer plus complètement le domaine de la colère et de la peur:

1. Quand vous ressentez de la colère reliée à votre relation, et si vous le pouvez, faites marche arrière avec dignité et accordez-vous de l'espace.

2. Respirez ou bougez consciemment pendant environ une minute.

3. Déterminez votre intention. Par exemple: « Que cet exercice m'apporte sagesse et paix. »

4. Revoyez en imagination, doucement et attentivement, la situation blessante. Ce faisant, respirez consciemment.

5. Quand les sentiments de colère reviennent, demandez gentiment: « Dans cette situation, quelle est ma peur la plus profonde? »

6. Écoutez avec compassion toutes vos réponses à cette question.

68

à chacun son style

S i vous avez des enfants, votre couple a probablement fait l'expérience de désaccords sur l'art d'être parent. L'un de vous peut préférer la ligne dure, la fermeté, tandis que l'autre peut favoriser une méthode non interventionniste et plus subtile. Pour chaque style, il y a du pour et du contre. Cet exercice donne plus de résultats si les deux partenaires participent, si cela est possible.

1. Assis à table l'un en face de l'autre, fermez les yeux et branchez-vous sur le rythme de votre respiration.

2. Maintenant, ouvrez les yeux et dites votre intention à haute voix, par exemple: « Par cet exercice, je m'ouvre afin de laisser le champ libre à une solution innovatrice de ce conflit. »

3. Faites, mentalement ou par écrit, une liste de trois choses positives dans la démarche de votre partenaire, et demandez à votre partenaire de faire la même chose en ce qui concerne la vôtre.

4. Comment vous sentez-vous quand vous entendez votre partenaire faire l'éloge de votre approche pour sa valeur? Vous sentez-vous écouté et compris?

La résolution de conflit exige une bonne écoute et une bonne communication. Quand vous et votre partenaire vous engagez à reconnaître vos forces, vous quittez la cible de l'art d'être parent pour vous centrer sur celle qui est le bien de vos enfants.

69

lutter pour avoir le contrôle

Combien de fois arrive-t-il que les désaccords avec votre partenaire entraînent le besoin d'avoir le contrôle?

Combien de fois le besoin d'avoir le contrôle a-t-il pris racine dans le besoin de bien agir, d'être responsable ou d'être parfait?

Aussitôt qu'un tel besoin se manifeste, une occasion en or de s'en libérer se présente aussi.

Quand vous êtes piégé dans une lutte pour avoir le contrôle, essayez l'exercice suivant:

1. Respirez attentivement à quelques reprises, et reconnaissez avec compassion qu'une part en vous lutte pour avoir le contrôle.

2. Déterminez votre intention. Par exemple: « Que je comprenne la part de moi qui a besoin de contrôler et que je la détende. »

3. Mettez-vous consciemment à l'écoute de votre corps. Ressentez le lieu de la lutte et les sensations qui y sont reliées. Respirez doucement dans chaque endroit. Détendez-vous autant qu'il vous est possible de le faire en sécurité.

4. Demandez tranquillement: « Qu'est-ce que je cherche à contrôler? Et si je n'avais pas tenté de contrôler cela? »

5. Écoutez patiemment toutes vos réponses à ces questions. Agissez selon ces réponses avec sagesse.

70

terminer la partie de bras de fer

L a jalousie peut être une bête émotive et dangereuse quand elle est déchaînée. Vous pouvez en arriver à une vision obscurcie des choses et à une rage aveugle. Une provocation minime peut déchaîner une violence contre laquelle vous ne devriez pas avoir à lutter. Que vos soupçons soient confirmés ou non fondés, le premier principe à mettre en pratique pour corriger la situation est de reconstruire la confiance avec votre partenaire. Suivez ces étapes consciencieusement pour rouvrir la communication et rétablir la confiance :

1. Vous faites l'expérience d'une lutte acharnée avec peur et anxiété. Prenez cet instant pour imaginer que vous laissez tomber la partie et que vous vous autorisez à rester observateur.

2. Dans votre position d'observateur, exercez-vous à vivre dans le moment présent. L'avenir et le dénouement sont à des kilomètres plus loin. Il n'y a que vous, et cette pièce, et ces murs, et vos pensées.

3. Prenez conscience des moments pendant lesquels votre esprit vous aide à voir clair et ceux pendant lesquels il ne vous aide pas. Votre stress et vos soucis ne doivent pas être un obstacle à la quête des réponses dont vous avez besoin et à la rassurance que vous désirez avoir.

4. Quand vous commencez à sentir le calme s'installer en vous, vous êtes prêt à demander d'être rassuré, et à rebâtir la confiance avec la personne que vous aimez.

71

l'écoute attentive

u centre de votre style de vie trépidant, fait de précipitation et de combat, gardez-vous du temps pour écouter activement, pour comprendre ce que l'autre personne dit et pour être en mesure de le lui redire sans porter de jugement. Faire une écoute attentive nécessite de l'entraînement afin de maîtriser les habiletés nécessaires pour être véritablement présent au dialogue. Voici des stratégies de communication pour renforcer votre capacité d'écoute attentive:

1. Commencez par garder le silence et laissez l'autre personne parler. Permettez-lui d'aller au bout de sa pensée et de finir ses phrases avant de l'interrompre ou d'émettre un commentaire.

2. Évitez d'être distrait par d'autres questions. Continuez de centrer votre attention sur les préoccupations actuelles de l'autre personne.

3. Ensuite, demandez des éclaircissements. Vous pouvez dire : « De ce que tu as dit, c'est cela que j'ai entendu. Est-ce bien cela que tu voulais dire ? »

4. Quand votre partenaire a eu suffisamment de temps pour partager, c'est à votre tour d'être entendu.

L'écoute consciente est un bon modèle de comportement si vous désirez être entendu et compris.

72

vous n'êtes pas impatient

L a patience envers votre partenaire est un principe actif de l'amour profond et confiant que vous vous portez.

Et si vous pouviez cultiver davantage votre patience?

Vous pourriez commencer par une attention consciente et de la compassion pour votre propre impatience.

1. Quand vous remarquerez que vous devenez impatient envers votre partenaire ou irrité par lui, prenez une pause et respirez consciemment pendant environ une minute.

2. Déterminez votre intention. Par exemple : « Que cet exercice fortifie la confiance de l'un envers l'autre. »

3. Prenez quelques respirations conscientes supplémentaires. Concentrez-vous de près sur votre cible à chaque sensation respiratoire.

4. Tournez votre attention vers les sensations physiques reliées au sentiment d'impatience. Éprouvez les sensations dans votre corps. Respirez et accueillez-les.

5. Notez toutes les pensées ou tous les jugements qui vous traversent l'esprit. Il n'est pas nécessaire de les combattre ni de les nourrir. Ne faites que les remarquer et les accueillir.

6. Observez comment les sensations d'impatience et les pensées qui lui sont reliées surgissent et s'évanouissent. Vous n'êtes pas impatient.

73

du temps passé séparément

Si vous et votre amoureux passez beaucoup de temps séparément, à cause d'horaires de travail différents ou de voyages d'affaires fréquents, vous savez alors à quel point il est difficile d'alimenter toutes les conversations d'énergie positive et de bonté. En réalité, les couples oublient fréquemment de se dire « Je t'aime ». Trouvez le temps de vous rebrancher sur des façons de faire créatives et amoureuses, même si c'est par téléphone ou par courriel. Voici comment:

1. Gardez en mémoire que toute interaction avec un être aimé est en puissance sacrée.

2. Prenez ce moment de conscience pour imaginer ce que serait votre interaction si vous saviez que c'est la dernière. Réfléchissez à cinq ou six manifestations affectueuses que vous pourriez rappeler à votre amoureux.

3. Dites ou écrivez maintenant trois de ces expressions sincères. Cela ne peut pas attendre au lendemain!

4. Si vous avez de la difficulté à formuler votre pensée, vous devriez essayer: « Je t'aime plus que la vie elle-même. » « Je t'aime de tout mon cœur et de toute mon âme. » « Je suis si reconnaissant de t'avoir dans ma vie. » Ou « Tu représentes le monde pour moi, et tu me manques tous les jours que tu n'es pas là. »

74

l'heure d'aller au lit est un bienfait

Dans des familles comportant deux parents qui font carrière et qui doivent répondre aux exigences de leur rôle parental, les couples se plaignent souvent de ne pas disposer de temps de qualité l'un pour l'autre. Quand, à la fin de la journée, vous vous préparez enfin à vous détendre, cela n'aide pas que vous soyez en compétition avec la télévision, les travaux scolaires et les réponses à donner à une demi-douzaine d'appels. Ne laissez pas ces tâches vous voler les quelques précieuses minutes de la soirée dont vous pouvez disposer pour méditer ensemble, ce qui pourrait devenir un élément de votre routine de tous les soirs :

1. Avant de tomber de sommeil ce soir, agenouillez-vous près de votre lit ou tenez-vous assis dans votre lit et prenez quelques instants pour réaliser à quel point vous êtes heureux.

2. Prenez une minute ou deux pour considérer silencieusement trois bonnes choses qui vous sont arrivées aujourd'hui ou des choses pour lesquelles vous avez éprouvé de la gratitude. Maintenant, partagez à haute voix votre gratitude et votre bonheur avec votre partenaire. Continuez à exprimer votre gratitude à votre partenaire à haute voix en disant: « Partager ma vie avec toi est un cadeau. Je m'estime heureux d'être là, en ce moment, avec toi, et de reposer à tes côtés. » Ce va-et-vient d'échanges entre vous deux est une occasion d'attiser le feu de la reconnaissance.

3. Laissez le retour du silence dans votre chambre à coucher vous rappeler discrètement à quel point le temps passé ensemble est précieux.

Adorer la vie

75

invitation à l'amour

Partout dans la culture asiatique, la cérémonie du thé, vieille de plusieurs siècles, est une invitation à l'amour.

1. Faites une tasse de thé et placez-la entre vous deux; vous êtes assis à table, l'un en face de l'autre.

2. Regardez-vous pendant que chacun de vous saisit doucement la tasse, et superposez vos mains et vos doigts. Regardez-vous dans les yeux et observez les volutes de vapeur s'élever de la tasse, la chaleur entre vos doigts et la douceur des doigts de votre partenaire entrelacés dans les vôtres.

3. Répétez à haute voix la prière suivante ou celle que vous aurez faite vous-même : « Cette tasse de thé est une invitation à l'amour. Elle est infusée de notre foi dans la magie de notre union. »

4. Offrez-en une gorgée à votre partenaire et que votre partenaire fasse de même. Ressentez la chaleur qui entre goutte à goutte dans tout votre corps.

5. Maintenant, que chacun s'accorde un bref moment de silence afin de se sentir seulement là, goûtant ce contact intime.

76

cher étranger

L es sages disent que nous sommes plus semblables que différents.

Il peut être étonnant et inspirant de s'ouvrir à cette possibilité en faisant un simple geste d'attention consciente envers les autres.

Voyez quelles découvertes vous pouvez faire avec l'exercice suivant, que ce soit seul ou avec votre partenaire.

1. Quand vous êtes dans un endroit public, respirez ou écoutez consciemment pendant environ une minute.

2. Déterminez votre intention. Par exemple: « Que cet exercice éveille en moi la curiosité et l'émerveillement. »

3. Portez doucement votre attention sur quelqu'un que vous voyez. Sans faire quoi que ce soit qui lui signale votre intérêt ou qui le met mal à l'aise, ne faites que l'observer attentivement.

4. Remarquez et laissez aller les jugements réactifs ou les produits de votre imagination.

5. Imaginez cette personne bébé, enfant, comme elle est maintenant; puis, plus âgée et mourante.

6. Regardez-la comme quelqu'un qui, comme vous, désire être heureux.

7. Si vous le désirez, souhaitez-lui silencieusement du bien.

77

la magie du lit

Pour la plupart des couples, la chambre à coucher est un endroit sacré. Dans ce bon lit, on vous a peut-être fait des propositions, vous avez conçu des enfants, ou vous vous êtes tenus serrés l'un contre l'autre dans le chagrin et les larmes. Faites le lit ensemble, si cela est possible, et soyez conscient de la beauté intime de ce geste.

1. Pendant que vous tendez les draps, pensez que chaque fil garde des souvenirs de toutes les nuits pendant lesquelles vous avez dormi ensemble.

2. Pendant que vous secouez les oreillers, imaginez les innombrables rêves qui se sont infiltrés en eux.

3. Quand vous ajustez la couverture, pensez à toute la chaleur et toute la sécurité que vous avez ressenties sous elle.

4. Quand vous placez le couvre-lit, souvenez-vous des raisons qui vous ont fait choisir cette couleur ou ce motif en particulier.

5. Si vous avez des coussins en surplus à étaler, imaginez que vous consacrez votre lit comme s'il était un temple sacré.

6. Dites à haute voix: « Que notre amour repose paisiblement chaque nuit, et s'éveille vibrant d'une nouvelle vitalité chaque matin. »

78

vérité fondamentale

L a sagesse de plusieurs cultures met en valeur la vision selon laquelle toutes les formes de vie ont en commun des attributs fondamentaux : la terre, l'eau, le feu, le vent et l'espace.

Essayez d'étendre cette vision à vous-même et voyez ce que vous pourriez découvrir. Songez à inviter votre partenaire à se joindre à vous.

1. Trouvez un endroit agréable — à l'intérieur ou à l'extérieur — où il vous sera facile d'entrer en communication avec la nature. Par exemple, vous pourriez être assis ou debout près d'une fleur, d'une pierre

ou d'une plante d'intérieur; vous pourriez être sur une plage, près d'un ruisseau ou dans un bois.

2. Respirez ou écoutez consciemment pendant environ une minute.

3. Déterminez votre intention. Par exemple: « Que cet exercice éveille en moi l'admiration et l'émerveillement. »

4. Pour le reste de cet exercice, mettez-vous à l'écoute attentive de chacun de vos sens tout en vous reliant à la solidité de la terre, à la moiteur de l'eau, à la chaleur du feu, au mouvement du vent et au calme de votre espace intérieur et extérieur.

5. Quand les éléments viennent à vous, souriez-leur. Puis, laissez-les s'en aller. Que vous enseignent-ils?

79

les miracles de la vie

Pour beaucoup d'entre vous, les repas en famille peuvent ne pas être aussi parfaits à tous égards que vous le souhaiteriez — vous êtes coincé dans la cuisine tandis que les enfants s'entassent autour de la télé. Il vous faut créer un rituel familial simple pour insuffler de nouveau votre amour et vos valeurs à ce moment sacré qu'est le repas en famille. Rien de guindé — que de la créativité. Voici une idée pour démarrer:

1. Assis ensemble et avant de manger, allumez une chandelle. La personne qui a allumé la chandelle commence par dire ce pour quoi elle est reconnaissante en ce moment. Vous pouvez dire: « Je m'estime

heureux d'avoir ma famille avec moi » ou « Je suis reconnaissant pour cette magnifique nourriture qui est dans mon assiette. »

2. Passez la chandelle à chaque convive jusqu'à ce que chacun ait eu la chance d'exprimer sa reconnaissance.

Si vous faites de ce rituel une part normale de la routine des repas en famille, il deviendra une tradition familiale, rappelant à chacun d'entre vous les miracles de la vie que nous oublions souvent.

80

le feu de l'amour

Que vous éprouviez la lassitude qui survient parfois dans une relation de longue durée ou que vous vous sentiez trop épuisé à la fin de la soirée pour faire l'amour, attiser le feu des relations intimes représente un défi pour tous les couples. Voici quelques idées novatrices pour vivifier votre relation amoureuse :

- Amadouez votre partenaire pour qu'elle vienne au lit un peu plus tôt que d'habitude et glissez-lui un gentil petit mot d'amour, lui rappelant à quel point elle est importante pour vous.

- Si vous avez des horaires de sommeil différents, demandez-lui de vous border ce soir-là, de la même façon que vous le feriez avec un enfant — le faisant se sentir en sécurité, protégé et entouré d'amour en tout temps.

- Avant d'aller au lit, prenez cinq minutes pour vous prendre dans les bras l'un de l'autre, le cœur grand ouvert. Sentez-vous enveloppé par la chaleur de votre partenaire, par sa tendresse et par ses bras protecteurs.

- Même si vous vous sentez fatigué ou grincheux, prenez quelques minutes pour terminer la soirée par une prière silencieuse, reconnaissant le magnifique pouvoir de l'amour qui a conspiré pour vous conduire l'un vers l'autre.

81

---

pas de malveillance

Sans le réaliser ou le vouloir vraiment, vous pouvez être envahi par la frustration et la malveillance, et ainsi adopter la position pénible de critiquer la vie plutôt que de la chérir.

Il est facile de porter envers les autres des jugements, de les blâmer et même d'éprouver de la colère à leur égard. Avec votre amoureux ou quelqu'un d'autre, vous pourriez vous mettre dans une situation pareille à celle-ci : attendre dans une file ou être coincé dans le trafic.

Essayez l'exercice suivant la prochaine fois qu'une situation difficile fait naître en vous ces sentiments pénibles:

1. Notez toute malveillance que vous ressentez. Admettez-la et respirez ou écoutez consciemment pendant environ une minute.

2. Déterminez votre intention. Par exemple: « Que cet exercice restaure mes relations avec la vie. »

3. Parlez-vous gentiment. Dites quelque chose comme: « Je me souhaite d'être heureux, en santé, en paix et en sécurité. » Répétez cette phrase plusieurs fois.

4. Regardez les autres autour de vous. Incluez-les: « Je souhaite que vous soyez heureux, en santé, en paix et en sécurité. »

5. Prenez soin de votre malveillance aussi souvent que nécessaire.

82

main dans la main

Ne laissez pas passer un jour de plus sans danser ensemble. Une danse lente peut approfondir votre liaison amoureuse et remplir de nouveau votre cœur d'amour. Laissez tomber ce que vous êtes en train de faire en ce moment et dansez. Gardez en mémoire ces quelques éléments pendant que vous bougez vos corps sans vous presser :

- Si vous avez choisi la musique, repensez aux raisons qui vous l'ont fait choisir. Quels souvenirs sont rattachés à cette musique ?

- Soyez consciente de ce que le corps de votre partenaire ressent près du vôtre. Pensez à ce que vous éprouvez quand il pose ses mains dans le creux de vos reins, à l'intimité créée quand vous liez vos mains ensemble. Aimez-vous qu'on vous fasse tourner ou préférez-vous être bercée doucement, le visage enfoui dans son cou?

- Quelles émotions s'agitent en vous quand vous bougez avec lui?

- Faites-lui maintenant un compliment sur ses yeux pétillants, sur son sourire superbe ou sur la générosité de son cœur.

83

je te suis reconnaissant

Il est si facile d'oublier les bienfaits quotidiens qu'une bonne relation apporte. Déjà, d'être en compagnie l'un de l'autre peut être un tel cadeau!

Essayez l'exercice suivant spontanément quand vous êtes avec votre partenaire mais que vous êtes occupés tous les deux à des choses différentes:

1. Cessez ce que vous étiez en train de faire et respirez ou écoutez consciemment pendant environ une minute.

2. Déterminez votre intention. Par exemple : « Que cet exercice approfondisse mon amour pour [dites son nom]. »

3. Sans déranger la personne, centrez une attention bienveillante et consciente sur elle.

4. Écoutez ses bruits. Voyez sa silhouette, ses couleurs, ses mouvements.

5. Sentez maintenant sa présence dans votre vie, en ce moment.

6. Respirez ou écoutez consciemment pendant quelques respirations supplémentaires, conscient aussi de sa présence. Autorisez-vous à vous détendre et habitez ce moment aussi pleinement que vous le pouvez.

7. Reconnaissez et valorisez le cadeau de son amour.

8. Essayez d'inclure d'autres êtres chers dans cet exercice chaque fois que vous le désirez.

84

l'autel de l'amour

Un grand nombre de maisons de culte ont des autels ou des espaces sacrés pour conserver les ornements, et où ont lieu les cérémonies. Pourquoi ne pas en créer un dans votre maison, comme un symbole de votre merveilleuse relation avec les êtres aimés?

1. Faites-le simple — par exemple une petite boîte, couverte de tissu coloré, portant une seule chandelle sur une tablette, et aussi une photo représentant une chaleureuse communion, ou une photo qui fait sourire votre cœur à l'intérieur.

2. Chaque soir avant d'aller au lit, allumez la chandelle, seul ou avec quelqu'un que vous aimez, et reconnaissez la beauté intrinsèque de votre autel de l'amour. Réfléchissez à ce que cela signifie que de prendre ce temps de sérénité pour honorer vos relations amoureuses.

3. Exprimez vos intentions : « J'allume cette chandelle pour me souvenir que je suis profondément reconnaissant d'avoir dans ma vie des gens qui m'aiment. »

Que cet autel soit un symbole qui vous ramène toujours à l'accueil de l'amour et à la gratitude.

85

un amour débordant

M ême si c'est une douleur très grande que de perdre un être aimé, l'amour est infini. L'amour n'est pas une ressource qui se tarit ou qui ferme ses portes. En fait, il y a assez d'amour sur la planète pour que chacun d'entre nous en ait. Prenez ce moment de conscience pour reconnaître l'amour illimité qui est déjà dans votre vie.

1. Commencez par votre famille. Faites mentalement une liste des membres de la famille actuelle ou antérieure qui vous aiment, comme vos grands-parents, votre mère, votre père, votre frère, votre sœur, votre partenaire et vos enfants.

2. Bougez vers la périphérie de ce cercle d'amour sans fin et faites une liste de vos amis, colocataires et parents éloignés. N'oubliez pas vos animaux de compagnie.

3. Pour aller plus loin, incluez vos amoureux et partenaires du passé.

4. Soyez attentif à la grande quantité de choses qui vous rappellent la présence de l'amour, comme de vieilles lettres d'amour, des romans d'amour, des poèmes ou des films, ou une promenade sur la plage en été avec votre partenaire.

Essayez cet exercice chaque fois que vous avez besoin d'évoquer la présence inépuisable de l'amour dans votre vie.

86

---

le cercle familial

voquer votre famille élargie et reconnaître les liens que vous avez en commun — littéralement comme le sang qui coule dans vos veines — donne une grande force.

Quels talents, quels intérêts — même les points faibles — sont partagés par vos ancêtres et votre parenté?

Visiter consciemment votre « cercle familial » peut aussi alimenter une plus profonde valorisation de votre lien à la vie.

1. Respirez ou écoutez consciemment pendant environ une minute.

2. Déterminez votre intention. Par exemple: « Que cet exercice m'enrichisse et me nourrisse. »

3. Réfléchissez doucement à un de vos talents ou de vos dons.

4. Souvenez-vous d'un parent ou d'un ancêtre qui avait aussi ce don. Imaginez qu'il ou qu'elle est près de vous.

5. Pensez à d'autres dons ou à d'autres traits. Imaginez que vous êtes encerclé par des membres de votre famille chaque fois que vous en avez besoin, partageant dons, forces et difficultés.

6. Sentez profondément dans vos veines leur présence et leur soutien.

87

tirer profit des différences

Durant les années de difficultés, n'avez-vous jamais remarqué la façon dont votre esprit est porté à se centrer sur les différences qui existent entre vous et votre amoureux? Vous êtes aisément exaspérée par les plus petites de ses habitudes ou de ses bizarreries de caractère jusqu'à ce qu'il ne puisse rien faire qui vous agrée? Vous désirez même qu'il change. Faire le prochain exercice peut vous aider à abandonner l'idée qu'il est possible de contraindre les gens à entrer dans la petite boîte que vous avez fabriquée pour eux.

1. Les différences sont ce qui vous rend unique et merveilleux. Prenez un instant pour reconnaître lucidement que les dissemblances sont les rares éléments qui rendent toute relation intéressante et irrésistible.

2. Imaginez que vous regardez à travers les yeux de votre amoureux et que vous songez: à quoi cette personne aspire-t-elle? De quelles révélations intimes a-t-elle fait l'expérience? À quoi rêve-t-elle? A-t-elle des regrets dont vous savez quelque chose? Quels sont ses doutes profonds et ses grandes fascinations?

3. Voici une occasion de comprendre pleinement le mystère et le respect mêlé d'admiration de votre relation, et d'éviter le gaspillage d'énergie à vouloir que votre partenaire se transforme en quelqu'un qu'il ne sera jamais.

88

sois toujours heureuse

L e bonheur et la joie de votre partenaire (et des personnes que vous aimez) sont particulièrement précieux et sont pour vous une source de joie profonde.

Apprenez à vous abreuver à cette source consciemment, partageant sa joie dans le moment présent.

1. Quand votre partenaire est à proximité, faisant quelque chose d'autre, et que vous la voyez sourire ou rire, portez votre attention sur elle et respirez consciemment.

2. Déterminez votre intention paisiblement. Par exemple : « Que cet exercice nous apporte à tous les deux une grande joie. »

3. Prêtez une attention plus intense et plus en profondeur. Regardez-la sourire et se détendre. Écoutez son rire. Sentez son bonheur.

4. Respirez consciemment, vous laissant devenir de plus en plus détendu et réceptif. Notez chez vous un sourire ou un rire.

5. Si vous le désirez, souhaitez-lui d'être toujours heureuse. Par exemple : « Je te souhaite d'être heureuse pour toujours » ou « Que la joie et la paix te comblent. »

6. Savourez votre plaisir.

89

être vulnérable

D ans votre vie quotidienne, tant d'occasions vous contraignent à ériger des murs complexes afin que les autres ne puissent pas entrer en vous ou afin de ne pas être vu tel que vous êtes vraiment. Ainsi, vous pouvez paraître stoïque et naturel extérieurement tandis qu'intérieurement, vous êtes effrayé et désespéré. Bien que cette attitude puisse être appropriée au travail ou avec des étrangers, elle ne devrait pas être adoptée avec les êtres chers. Apprenez à être vulnérable afin de laisser les autres vous aider.

1. Tout d'abord, souvenez-vous qu'exprimer ses sentiments et se montrer vulnérable ne sont pas des signes
de faiblesse. En réalité, il faut beaucoup de courage
pour demander aux autres d'être disponibles et de
vous soutenir sur le plan émotif.

2. Saisissez cette occasion pour demander de l'aide.
Pour livrer bataille, il n'est pas nécessaire d'être seul.
Téléphonez à un ami, faites-lui confiance en ce qui
concerne vos émotions et abattez les murs qui ne font
que vous séparer des autres.

3. Si ce type de démarche est nouveau pour vous, soyez
alors bon envers vous-même. Demandez à être rassuré et apaisé.

90

prières pour animaux

L es humains ont des relations anciennes et profondes avec les autres animaux. On peut trouver dans plusieurs cultures et dans diverses traditions religieuses des exemples de prières à l'intention des animaux.

Ces prières demandaient que les bêtes soient soulagées de la douleur, de la peur et de la faim; que le cœur des humains ait une ligne de conduite envers les animaux, et que les mains des humains soient pleines de compassion et de bonté envers les autres créatures; elles demandaient aussi que tous les humains deviennent les vrais amis des bêtes.

1. Quand vous êtes ému par un animal ou que vous sentez un lien particulier avec lui, arrêtez-vous et reconnaissez-le, le ressentant profondément.

2. Concentrez votre attention et renforcez votre présence avec quelques respirations conscientes.

3. Déterminez votre intention. Par exemple : « Que cet exercice approfondisse mon lien avec tous les êtres vivants. »

4. Centrez une attention consciente sur le lien que vous sentez en ce moment.

5. Écoutez intérieurement tous mots ou souhaits que vous pourriez formuler à l'intention de cet animal ou d'autres animaux.

6. Offrez ces mots et souhaits consciemment, avec bonté et respect.

91

trop de travail, pas assez de jeux

L e travail sans le jeu rend la vie monotone, sans surprise. Vivifiez votre relation en mettant le loisir en priorité, même si vous n'avez que cinq minutes à y consacrer. Voici quelques idées pour rallumer la spontanéité dans votre terne routine :

- Essayez le jeu « rendez-vous compétitifs », où chaque partenaire essaie de surpasser le degré de plaisir du rendez-vous précédent. Convainquez votre partenaire ou votre amoureux de participer au jeu.

- Essayez une activité que vous aviez l'habitude de faire quand vous étiez enfant, comme le golf miniature, le patin à glace, le patin à roulettes; ou louez un film 3D.

- Réservez des places pour quelque chose de nouveau ou que vous n'avez jamais essayé auparavant, comme une comédie musicale, un spectacle comique ou une représentation donnée par une troupe de danseurs.

- Tirez au poignet amicalement — le gagnant doit vous donner 100 baisers, en commençant par votre tête et en continuant tout le long de votre corps.

- Courez, sautez sur le trottoir en vous tenant la main. Il se peut que vous vous sentiez idiot, mais vous saurez alors que vous avez commencé à pratiquer l'autodérision.

92

dire oui à la vie

« Oui » est l'expression populaire et répandue dans le monde de l'entente joyeuse et du consentement sincère.

« O-U-I » !

Dire oui est souvent accompagné d'une sorte de geste corporel vigoureux — ou de deux.

Dire oui est une façon convaincante de s'aligner sur quelqu'un et de se relier.

Essayez de dire oui au mystérieux et capricieux courant de la vie dans le moment présent.

1. Respirez consciemment pendant environ une minute.

2. Déterminez votre intention. Par exemple : « Que cet exercice me donne du bonheur et de l'énergie. »

3. Prenez quelques respirations conscientes supplémentaires.

4. Observez et nommez doucement les différentes expériences telles qu'elles surviennent en ce moment. Alors que vous nommez chacune d'elles, dites simplement oui. Par exemple : « Inquiétudes — oui », « Environnement bruyant — oui », « Mal de dos — oui ».

5. Pour chaque expérience, murmurez doucement oui sans combattre, sans intellectualiser ou sans résister. Dites tout simplement oui.

6. Que remarquez-vous ?

93

l'escalier des rêves

T ous les couples traversent des périodes où les rêves et les besoins tirent chacun de leur côté, dans des directions différentes. Vous voulez commencer à épargner en vue des prochaines vacances et votre partenaire soutient que la maison a d'abord besoin d'un toit neuf. Réfléchissez ensemble pour trouver de nouvelles façons de combiner le rêve et le nécessaire. Invitez votre partenaire ou votre amoureux à participer, si possible.

1. Fermez les yeux et imaginez un escalier en colimaçon qui va vers le haut. Chaque marche représente un rêve ou un besoin qui est important pour vous et votre amoureux.

2. Pendant que vous vous assurez de bien poser le pied sur chacune des marches, soyez attentif à l'ascension progressive et à la subtile courbure de chaque marche. C'est le chemin tortueux de toute relation amoureuse.

3. Dites à haute voix: « Nous tissons nos rêves et nos besoins ensemble. Notre escalier représente tous les différents tours et détours qui nous mèneront où nous devons aller. »

4. Faites silence un moment pour que cela soit ainsi.

cher papa, chère maman

L es poètes disent que nous sommes un témoignage de la vie de notre mère et de notre père, de leur mère et de leur père, et des leurs.

Devenir parent ou observer un parent peut susciter chez vous de la compréhension et faire naître de la gratitude pour les sacrifices consentis et pour les bienfaits distribués par des parents.

Réfléchissez sur votre propre mère et votre propre père avec cet exercice:

1. Choisissez un moment et trouvez un endroit pour respirer consciemment pendant environ une minute.

2. Déterminez votre intention. Par exemple : « Que je me souvienne de mes parents avec bonté et que je sois guidé par leur sagesse. »

3. Détendez-vous et reposez-vous en respirant consciemment.

4. Souvenez-vous consciemment de l'un ou l'autre de vos parents ou des deux.

5. Souvenez-vous d'un sacrifice qu'ils ont fait pour vous. Laissez les ondes de ce souvenir pénétrer votre cœur.

6. Réfléchissez au cadeau de la vie qu'ils vous ont fait. Pensez que votre vie provient d'eux. Reconnaissez cela.

7. Laissez la gratitude vous guider et vous soutenir.

95

s'harmoniser avec la réalité

Un rapide coup d'œil aux principaux médias commerciaux nous confirme que la société a une obsession : rester toujours jeune. Cependant, il n'est pas nécessaire de faire le jeu des médias concernant ce mythe de la beauté. Étant donné que personne ne peut se soustraire au processus naturel du vieillissement, préparez-vous à l'intégrer sans réserve, avec dignité et grâce, et avec une grande majesté. S'harmoniser avec la réalité signifie se mettre au défi d'apprendre comment être heureux — ou du moins insouciant — d'avoir des rides, des cheveux gris, une démarche ralentie et des forces déclinantes.

1. Prenez un instant pour reconnaître l'élan vital de la beauté sans âge, qui commence à l'intérieur de vous et qui s'exprime vers l'extérieur par chaque sourire, chaque acte de bonté, et par le souffle de chaque ardeur généreuse.

2. Dites à haute voix et plusieurs fois cette affirmation: « Je suis un être formidable, séduisant et magnifique, à l'intérieur comme à l'extérieur, de la tête aux pieds. » Souvenez-vous que vous n'êtes pas la somme des parties vieillissantes de votre corps.

3. Endossez une stature royale maintenant, et restez conscient de votre posture. Marchez bien droit, avec la fierté d'être ce que vous êtes vraiment, et déplacez-vous avec aisance.

96

il faut un village

L'observation de la vie des enfants — que ce soit les vôtres ou d'autres enfants — nous pousse rapidement à réfléchir aux besoins de tous les êtres humains d'avoir de l'amour et de l'encadrement.

À tout moment de la vie d'un enfant, on peut voir en toile de fond une étonnante série de soutien, d'intention et d'interdépendances en action.

Utilisez cette réflexion sur l'enfance pour susciter en vous un amour plus profond pour la vie dans son ensemble :

1. Respirez consciemment pendant environ une minute.

2. Déterminez votre intention. Par exemple: « Que cet exercice mette la vie en valeur. »

3. Assouplissez-vous et ouvrez-vous autant que possible tout en vous sentant en sécurité, pendant que vous continuez à respirer consciemment.

4. Imaginez que vous êtes un enfant. Voyez la variété d'exigences et de conditions qui entouraient votre éducation — les gens et les choses qui vous soutenaient. Souvenez-vous du soutien dont vous avez bénéficié relativement à votre santé, à votre croissance, à votre protection, à votre encadrement, et souvenez-vous de toutes les sources de bonheur et d'amour qui faisaient partie de votre vie.

5. Laissez chaque vague de souvenir vous combler et vous nourrir.

6. Laissez la reconnaissance des interdépendances vous guider.

97

le jeu de la mémoire

Vous rappelez-vous comment vous vous sentiez quand vous tombiez sur un cadeau sentimental provenant d'un être aimé? Était-ce une bague que vous portez, une photo ou un T-shirt de votre dernière escapade? Faites un voyage dans les sentiers de la mémoire avec votre amoureux, et partagez vos souvenirs.

1. Essayez de vous rappeler un objet ou un souvenir qui reproduit cet effet romantique. Si votre amoureux est présent, partagez vos souvenirs à haute voix. Si vous êtes seul, écrivez ces souvenirs pour les partager plus tard, ou téléphonez à un ami pour les lui raconter.

2. Réfléchissez aux raisons qui vous ont fait choisir cette histoire en particulier. Quelles émotions y rattachez-vous? Quels aspects particuliers la rendent si sentimentale, si exceptionnelle? S'agit-il d'un souvenir ancien ou récent?

Quand vous faites apparaître des souvenirs agréablement conservés, vous infusez ce moment de magie, d'amour et d'aventure. Gardez dans un coin de votre cœur ce magnifique sentiment.

98

l'art de ne pas savoir

Les idées et les informations sont la voie du savoir. La planification et la prévisibilité suivent d'habitude.

Connaissez-vous aussi l'art de ne pas savoir?

Ne pas savoir recèle des surprises, prend plaisir à l'inattendu et accueille l'émerveillement et le mystère.

Dans l'art de ne pas savoir, vous laissez partir le besoin de savoir ou de contrôler, et vous laissez la vie venir à vous.

1. Respirez consciemment pendant environ une minute.

2. Déterminez votre intention. Par exemple : « Que cet exercice m'aide à vivre mieux. »

3. Ouvrez votre conscience aux sons et écoutez attentivement.

4. Laissez entrer chaque son et chaque sensation. Soyez curieux. Qu'arrivera-t-il après ? Laissez venir.

5. Observez vos pensées. Soyez à leur écoute sans les combattre ni les nourrir. Goûtez leur variété.

6. Détendez-vous. Laissez toutes vos connaissances venir et s'en aller sans résistance ni contrôle.

7. Vous n'avez pas besoin de savoir quoi que ce soit pour faire cette méditation.

99

trouver l'océan dans un coquillage

Quand vous étiez enfant, on vous a peut-être dit que vous pouviez entendre le bruit de l'océan si vous colliez l'oreille sur une conque — sorte de coquillage — et si vous écoutiez vraiment. Cette découverte avait quelque chose de magique, de merveilleux et de mystérieux. Quand votre train-train quotidien commence à être terne et monotone, découvrez le merveilleux qui se cache dans les endroits secrets de votre imagination.

1. Trouvez un objet inanimé à examiner. Cela peut être n'importe quoi — une bobine de fil, une chaise, un arbre.

2. Scrutez aussi bien les parties de cet objet qui sont simples que celles qui sont complexes, autant celles qui sont ordinaires que celles qui sont extraordinaires. Par exemple, votre fenêtre est faite d'une simple plaque de verre transparent qui a été coupée en carré; mais ce qui est merveilleux, c'est le soleil qui luit au travers d'elle, enveloppant la pièce de ses chatoyants rayons de chaleur. Maintenant, essayez l'exercice.

3. Faites le même exercice avec votre relation amoureuse comme sujet, observant les composantes qui sont évidentes aussi bien que celles qui sont étonnantes.

Ranimez l'extraordinaire qui se trouve dans chaque aspect de votre vie. Cette nouvelle façon de voir devrait vous inspirer tout à fait.

100

entrer dans le mystère

L'amour et la vie sont peuplés d'inconnus qui échappent à notre contrôle la plupart du temps.

Même le va-et-vient — les moments et les circonstances de la naissance et de la mort aussi bien que les joies et les chagrins dont ils sont semés — est mystérieux et impossible à prévoir.

Quelle sagesse en résulterait-il si, même rapidement, vous étiez consciemment plus réceptif à la vérité du changement et de la condition mortelle ?

1. Respirez consciemment pendant environ une minute.

2. Déterminez votre intention. Par exemple : « Que cet exercice m'apporte la paix. »

3. Maintenez une attention soutenue sur votre respiration — aussi stable qu'une montagne.

4. Ouvrez votre cœur et faites de la place — tant que vous vous sentirez en sécurité.

5. Souvenez-vous d'une personne aimée qui est décédée. Voyez à quel point elle était pareille à vous.

6. Reconnaissez que tout ce que vous aimez vous quittera, ou que c'est vous qui quitterez tout ce que vous aimez. Ayez de la gratitude et de la compassion pour la peur reliée à la perte.

7. Laissez la valeur inestimable de chaque vie, et cet instant, vous guider.

À propos des auteurs

Jeffrey BRANTLEY, M.D., est un consultant, membre du département de psychiatrie de l'Université Duke à Durham, en Caroline du Nord. Il est le fondateur et le directeur du Programme de réduction du stress par la pleine conscience, au Centre universitaire de médecine intégrative de l'Université Duke. Il a été le porte-parole de ce programme à de nombreuses occasions, lors d'entrevues à la radio, à la télévision ou avec la presse écrite. Il est l'auteur à succès de *Calming Your Anxious Mind* et coauteur de *Cinq bonnes minutes le matin* et de *Cinq bonnes minutes le soir.*

Wendy MILLSTINE, nutritionniste-conseil, est rédactrice pigiste et consultante diplômée en nutrition holistique; elle est spécialisée en régimes alimentaires et en réduction du stress. Elle est coauteure de *Cinq bonnes minutes le matin* et de *Cinq bonnes minutes le soir.*

CINQ BONNES MINUTES
pour renouveler votre vitalité
et votre passion pour la vie

978-2-89092-375-1

978-2-89092-384-3

978-2-89092-395-9